PERSPECTIVAS METATEÓRICAS DA CULTURA E DA COMUNICAÇÃO

FACES DA CULTURA E DA
COMUNICAÇÃO ORGANIZACIONAL

3

PERSPECTIVAS METATEÓRICAS DA CULTURA E DA COMUNICAÇÃO

Marlene Marchiori (org.)

Difusão Editora

senac

ISBN: 978-85-7808-161-4
Código: COFAV3T2E1I1

Editoras: Michelle Fernandes Aranha e Karine Fajardo
Gerente de produção: Genilda Ferreira Murta
Coordenador editorial: Neto Bach
Assistente editorial: Karen Abuin
Copidesque: Jacqueline Gutierrez
Revisão de tradução: Maria do Carmo Reis (Ensaio) e Maud Rugeroni (capítulos 2 ao 7)
Capa: Cristina Thomé (Visualitá)
Ilustrações de capa: Detalhe da obra "Bike Dourada" – 2012 do artista plástico José Gonçalves (www.josegoncalves.art.br).
Projeto gráfico e editoração: Roberta Bassanetto (Farol Editorial e Design)

Dados Internacionais de Catalogação na Publicação (CIP)
(Câmara Brasileira do Livro, SP, Brasil)

Perspectivas metateóricas da cultura e da comunicação / Marlene Marchiori (org.). -- São Caetano do Sul, SP: Difusão Editora; Rio de Janeiro: Editora Senac Rio de Janeiro, 2013. -- (Coleção faces da cultura e da comunicação organizacional; 3)

Vários autores.
Bibliografia.
ISBN 978-85-7808-102-7 (obra completa)
ISBN 978-85-7808-161-4 (v. 3)

1. Comunicação e cultura 2. Comunicação nas organizações 3. Cultura organizacional I. Marchiori, Marlene. II. Série.

13-11400 CDD-658.45

Índices para catálogo sistemático:
1. Cultura e comunicação organizacional: Administração 658.45

Impresso no Brasil em dezembro de 2013.

Editora Senac Rio de Janeiro
Rua Pompeu Loureiro, 45/11º andar – Copacabana
CEP 22061-000 – Rio de Janeiro – RJ
comercial.editora@rj.senac.br | editora@rj.senac.br
www.rj.senac.br/editora

Difusão Editora
Rua José Paolone, 70 – Santa Paula
CEP 09521-370 – São Caetano do Sul – SP
difusao@difusaoeditora.com.br – www.difusaoeditora.com.br
Fone/fax: (11) 4227-9400

Dedico esta coleção
a minha filha Mariel.

Sumário

Agradecimentos

Obrigada pelo envolvimento, pelo aprendizado e pelas contribuições de cada autor, pesquisador, colega e executivo de comunicação, pessoas que possibilitaram tornar a coleção *Faces da cultura e da comunicação organizacional* instigante e desafiadora.

Dirijo meu reconhecimento e agradecimento especial aos orientadores Mike Featherstone, Patrice M. Buzzanell, Sergio Bulgacov e Sidineia Gomes Freitas, os quais marcaram minha trajetória. Sou grata ainda à dedicação de Ana Luisa de Castro Almeida e ao apoio dos colegas Eda Castro Lucas de Souza, Eni Orlandi, Fabio Vizeu, Ivone de Lourdes Oliveira, Miguel L. Contani, Paulo Nassar, Regiane Regina Ribeiro, Suzana Braga Rodrigues, Vera R. Veiga França e Wilma Vilaça, e dos alunos de pós-graduação e de iniciação científica dos grupos de pesquisa que lidero.

Agradeço ao empresário Luiz Meneghel Neto e à executiva Michelle Fernandes Aranha – que, com visões empreendedoras, sempre acreditaram e incentivaram o desenvolvimento dos estudos nesse campo –, e ao apoio e ao envolvimento das equipes da Difusão Editora e da Editora Senac Rio de Janeiro.

Sobre os autores

Boris H. J. M. Brummans

Ph.D. pela Texas A&M University, é professor associado do departamento de Comunicação da Université de Montréal, no Canadá. Sua pesquisa analisa a organização humanitária em várias partes do mundo e o papel constitutivo do enquadramento em conflitos intratáveis.

Bryan C. Taylor

Professor e chefe do departamento de Comunicação da University of Colorado Boulder (CU-Boulder), nos Estados Unidos, é especializado em métodos de pesquisa qualitativa, comunicação organizacional e estudos culturais. Seu principal programa de pesquisa envolve estudos de comunicação na guerra nuclear e (pós) Guerra Fria, além de explorar as articulações ideológicas de gênero, etnia, tecnologia e (ir)racionalidade no discurso organizacional e cultural envolvendo o desenvolvimento de armas nucleares. É bacharel pela University of Massachusetts e tem os títulos de mestre e Ph.D. pela University of Utah. Antes de integrar o corpo docente da CU-Boulder, lecionou na Texas A&M University, também nos Estados Unidos. Suas pesquisas são publicadas nos mais importantes meios de comunicação especializados.

Chantal Benoit-Barné

Ph.D. pela University of Colorado Boulder (CU-Boulder), nos Estados Unidos, é professor associado do departamento de Comunicação da Université de Montréal, no Canadá. Sua pesquisa concentra-se no papel constitutivo da retórica nas interações do trabalho, deliberações públicas e controvérsias socioétnicas.

Daniel Stuart Wilbur

Professor associado do departamento de Comunicação da Purdue University North Central, nos Estados Unidos. Seus estudos concentram-se em assuntos voltados ao feminismo e ao ativismo social em comunicação organizacional e de saúde.

Danusa Araújo do Nascimento

Consultora sênior da empresa Matizes Comunicação, atuando como especialista em responsabilidade social, sustentabilidade e sistemas de gestão. Graduada em Engenharia Civil, pela Universidade Federal do Paraná (UFPR), tem os títulos de mestrado profissional em Tecnologia Ambiental, pelo Instituto de Pesquisas Tecnológicas do Estado de São Paulo (IPT), e MBA executivo em Gestão Corporativa, pela Fundação Getulio Vargas (FGV).

Dennis K. Mumby

Professor e coordenador dos Estudos de Comunicação da University of North Carolina (UNC), em Chapel Hill, nos Estados Unidos, e integrante do Institute for the Arts and Humanities dessa universidade. Sua pesquisa tem como foco as relações entre discurso, poder, gênero e organização. Foi chefe da Organizational Communication Division da National Communication Association (NCA), nos Estados Unidos, e cinco vezes vencedor do prêmio anual de pesquisa da divisão. Recentemente, atuou também como chefe da Organizational Communication Division da International Communication Association (ICA), nos Estados Unidos. Publicou cinco livros e mais de cinquenta artigos na área de Estudos Críticos em Organização. Seu livro mais recente é intitulado *Reframing Difference in Organizational Communication Studies: Research, Pedagogy, Practice*. Em 2010, recebeu o prêmio Charles H. Woolbert Research Award, da NCA.

Fahad Al Adi

Gerente-executivo da Jusoor, atuando, nos últimos seis anos, em responsabilidade social corporativa. Graduado em Língua Inglesa, pela Sultan Qaboos University, de Omã, tem o título de mestrado em Tecnologia de Comunicação e Informação, pela Leeds University, do Reino Unido.

François Cooren

Ph.D. pela Université de Montréal, no Canadá, é professor e chefe do departamento de Comunicação dessa mesma instituição. Seus interesses de pesquisa incluem: comunicação organizacional, discurso organizacional, pragmática e estudo detalhado da interação. Entre 2010 e 2011, foi presidente da International Communication Association (ICA), nos Estados Unidos.

Frédérik Matte

Doutorando e professor do departamento de Comunicação da Université de Montréal, no Canadá. Nos últimos cinco anos, participou de um projeto de pesquisa voltado aos aspectos comunicativos da organização médico-humanitária internacional Médicos Sem Fronteiras (MSF). Também realizou trabalho de campo com essa organização como oficial de Comunicação.

George Cheney

Ph.D. pela Purdue University, nos Estados Unidos, é professor titular de Estudos de Comunicação e coordenador de ensino de doutorado em Comunicação e Informação da Kent State University, no estado americano de Ohio. É, ainda, pesquisador associado do Ohio Employee Ownership Center, também da Kent State. Atuou nos corpos docentes das universidades americanas de Illinois, em Urbana-Champaign; de Colorado, em Boulder; de Montana-Missoula, em Utah; e do Texas, em Austin. Palestrou, lecionou, conduziu pesquisa e prestou consultoria extensivamente na Europa, América Latina e Nova Zelândia (onde trabalhou como professor na University of Waikato, em Hamilton). Publicou nove livros e mais de cem artigos, capítulos e resenhas. Sua obra mais recente é *The Routledge Companion to Alternative Organization* (em parceria com Martin Parker, Valérie Fournier e Chris Land). Seguidor das corporações Mondragón desde 1992, publicou o premiado livro *Values at Work*.

James Fortney

Mestre pela DePaul University e doutorando no departamento de Comunicação da University of Colorado Boulder (CU-Boulder), ambas nos Estados Unidos. Sua pesquisa examina as interseções da organização, identidade e desempenho das perspectivas críticas e feministas.

James Hedges

Professor assistente do departamento de Comunicação Oral e diretor do programa de Administração de Artes da Westminster College, em Salt Lake City, nos Estados Unidos. Leciona Comunicação Organizacional, Liderança e Retórica em cursos de graduação e de pós-graduação. Os interesses de suas principais áreas de pesquisa incluem: identidade e identificação internacional, retórica organizacional e organizações de autoajuda.

Jamie McDonald

Mestre pela Université de Montréal, no Canadá, e doutorando no departamento de Comunicação da University of Colorado Boulder (CU-Boulder), nos Estados Unidos. Sua pesquisa aborda questões de identidade e diferença em comunicação organizacional, com ênfase especial no desenvolvimento de explicações comunicativas para segregação ocupacional.

Marlene Marchiori

Concluiu o pós-doutorado em Comunicação Organizacional na Brian Lamb School of Communication, da Purdue University, nos Estados Unidos. Doutora pela Universidade de São Paulo (USP), com estudos desenvolvidos no Theory, Culture and Society Centre da Nottingham Trent University, no Reino Unido. Graduada em Administração e em Comunicação Social – Relações Públicas, é pesquisadora líder do CNPq (Conselho Nacional de Desenvolvimento Científico e Tecnológico) nos grupos de estudos Comunicação e Cultura Organizacional (Gefacescom) e Comunicação Organizacional e Relações Públicas: perspectivas teóricas e práticas no campo estratégico (Gecorp). Professora sênior da Universidade Estadual de Londrina (UEL). Autora do livro *Cultura e comunicação organizacional: um olhar estratégico sobre a organização*, e organizadora das obras *Comunicação e Organização: reflexões, processos e práticas*; *Redes sociais, comunicação, organizações*; e *Comunicação, discurso, organizações*.

Olinta Cardoso

Sócia-diretora da Matizes Comunicação, foi diretora de Comunicação da empresa Vale e diretora da Fundação Vale. Graduada em Comunicação, pela Faculdade Newton Paiva (Belo Horizonte, MG), concluiu a pós-graduação *lato sensu* em Comunicação e Gestão Empresarial, pela Pontifícia Universidade Católica de Minas Gerais (PUC Minas), além de especializações em Gestão Responsável para a Sustentabilidade, pela Fundação Dom Cabral (FDC), e em Comunicação Empresarial, pela University of Syracuse, em convênio com a Associação Brasileira de Comunicação Empresarial (Aberje). É membro do Conselho Deliberativo do Instituto Ethos.

Patrice M. Buzzanell

Professora da Brian Lamb School of Communication, na Purdue University, nos Estados Unidos. Sua pesquisa concentra-se em liderança, questões da vida profissional e carreiras, principalmente as que se baseiam no gênero e as associadas à ciência, tecnologia, engenharia e matemática. Autora de mais de cem artigos, capítulos e resenhas, também editou os livros *Rethinking Organizational & Managerial Communication from Feminist Perspectives*; *Gender in Applied Communication Contexts* (com Helen M. Sterk e Lynn H Turner); e *Distinctive Qualities in Communication Research (*com Donal Carbaugh).

Robert Chia

Professor de Administração da University of Strathclyde Business School, no Reino Unido. É Ph.D. em Estudos Organizacionais pela Lancaster University, também no Reino Unido, e escreve regularmente para importantes periódicos internacionais sobre estudos de organização e administração. Além de contribuir com capítulos para obras das mais variadas subáreas de Administração, é autor/editor de quatro livros. O mais recente, em coautoria com Robin Holt, é intitulado *Strategy without Design: The Silent Efficacy of Indirect Action.* Seus interesses de pesquisa envolvem questões de liderança estratégica e previsão, complexidade e pensamento criativo, bem como o impacto ao se contrastar mentalidades metafísicas orientais e ocidentais na tomada de decisão executiva.

Sasha Grant

Professora assistente do departamento de Comunicação e coordenadora de Sequência dos Estudos de Comunicação da University of Texas, em Arlington, nos Estados Unidos, leciona Teoria da Comunicação, Comunicação Organizacional e Comunicação Global em cursos de graduação e de pós-graduação. Sua pesquisa concentra-se em identidade e identificação organizacional, liderança carismática e organizações baseadas em valores.

Sergio Bulgacov

Professor associado dos cursos de doutorado, mestrado e graduação em Administração da Escola de Administração de Empresas de São Paulo da Fundação Getulio Vargas (FGV-Eaesp). Bolsista de Produtividade em Pesquisa do Conselho Nacional de Desenvolvimento Científico e Tecnológico (CNPq) e graduado em Administração pela Universidade Estadual de Londrina (UEL), no Paraná, com mestrado em Administração pela Universidade de São Paulo (USP) e doutorado em Administração de Empresas pela FGV-SP, realizou estágio pós-doutoral na University of Birmingham, na Inglaterra. Atua com os seguintes temas: estratégia e análise organizacional; conteúdo, processo e resultados estratégicos; e desenvolvimento interorganizacional e local.

Apresentação da coleção

Para absorver a multiplicidade e a divergência das faces da cultura e da comunicação, torna-se indispensável reexaminar conceitos e conferir-lhes novas leituras. Com esse propósito, foi criado, na Universidade Estadual de Londrina, o Grupo de Estudos Comunicação e Cultura Organizacional (Gefacescom), certificado institucionalmente no Conselho Nacional de Desenvolvimento Científico e Tecnológico (CNPq) e, nesse contexto, indispensável à visão das organizações como expressividade de cultura e comunicação.

Nessa ótica, as organizações se mostram inseridas em um mundo permeado de símbolos, artefatos e criações subjetivas ao qual chamamos de Cultura, sendo a comunicação constitutiva desses espaços realizada mediante processos interativos. Essas abordagens nos levam a compreender como organizações são constituídas, nutridas, reconstruídas e transformadas. Conhecer as implicações dos conceitos comunicação e cultura é concentrar o olhar na perspectiva processual que a cada movimento emerge em um novo contexto, um novo sentido, que se ressignifica, se institui e reinstitui nas interações, ajudando a entender os contextos, as decisões, os múltiplos ambientes e as potencialidades vivenciadas nas organizações.

A discussão da cultura na sociedade foi revelada em 1871 por Edward B. Tylor. Já no contexto organizacional, a expressão "cultura de empresa" surgiu na década de 1950 com Elliott Jaques (1951). Na década de 1980, Linda Smircich (1983) agrupou em duas as abordagens epistemológicas e metodológicas adotadas por pesquisadores: cultura concebida como variável; e cultura compreendida como metáfora da organização.

A primeira abordagem, com influência do paradigma funcionalista, trata da chamada Cultura Organizacional (CO) como aspecto que a organização tem. A segunda abordagem, com raízes no paradigma interpretativo, lida com a cultura como algo que uma organização é (SMIRCICH, 1983); por isso, trata a Cultura nas Organizações (CNO) (ALVESSON,1993). Essa última definição é mais abrangente que a primeira, pois pressupõe uma ação do indivíduo no processo, sugerindo, assim, falar-se de **CulturaS**[1] nos ambientes organizacionais em razão da multiplicidade de pessoas que, ao interagirem, fomentam diferentes formas de ser, fazendo emergir diversidades e diferenças, e não uma visão única de cultura. Assim, abordagens no campo interpretativo, crítico e pós-moderno[2] vão além da visão de cultura como variável (paradigma funcionalista) e suscitam reflexões e instigam o desenvolvimento de novas pesquisas teóricas e empíricas nos estudos organizacionais e comunicacionais.

Essas diferentes concepções fazem considerar organizações ambientes dinâmicos, interativos, discursivos, com elementos constituintes (essenciais) e constitutivos (meios e recursos) no processo de criação e de consolidação de realidades. É fundamental admitir que se vivenciam múltiplas culturas. A realidade é maleável, construída pelos indivíduos por meio de dinâmicas, processos, práticas e relacionamentos que se instituem socialmente.

Uma pessoa se revela como ser social em sua relação com outras. Dessa forma, emerge nas organizações um processo contínuo e ininterrupto de construção de culturas. Esses contextos constituídos na interação fazem sentido em determinado ponto e ascendem ao estatuto de processos institucionalizados até que o próximo questionamento dissolva essa cadeia de equilíbrios e produza uma espiralação que coloca a realidade grupal em patamar distinto daquele em que todos se encontravam.

Essa visão contemporânea modifica radicalmente a noção de cultura no contexto organizacional e de relacionamento natural com todas as áreas e os processos de construção coletiva, de onde surgem as inúmeras faces e interfaces que assume.

Ao longo dos dez volumes, ou das dez faces, desta coleção, amplia-se o olhar sobre as possibilidades de produção das interpretações possíveis de cultura, ultrapassando a abordagem de considerá-la uma variável controlada pela organização de acordo com os valores definidos pela alta direção ou pelos fundadores. A coleção desvenda e identifica múltiplas

---

[1] Nota das editoras: grifo da autora para enfatizar o plural, fazendo compreender que não há uma única cultura, mas várias.

[2] Nota da autora: paradigmas tratados neste volume da coleção.

faces, as quais possibilitam revelar conhecimentos diversificados das realidades organizacionais, com linguagem e conteúdos próprios. A face é uma singularidade, marcadora de identidade(s). Em decorrência de uma abordagem multiparadigmática, as faces podem inter-relacionar-se, possibilitando, pelas proximidades e conexões, diálogos diversificados e análises ainda mais amplas da cultura e da comunicação nas interfaces.

A teoria das faces defendida por Erving Goffman (1967) lembra que as pessoas tendem naturalmente a experimentar uma resposta emocional quando estão em contato com outras. Nesse contexto, o termo face representa "o valor social positivo que uma pessoa reclama para si por meio daquilo que os outros presumem ser a linha por ela tomada durante um contato específico" (GOFFMAN, p. 76). Dentro dessa ótica, a face é um constructo sociointeracional, uma vez que depende do outro. Uma face não se constitui no isolamento. Ela se faz "em" comunicação e no bojo das relações com o outro – trazendo as marcas dessas relações. A comunicação dá origem à dimensão do "quem somos", isto é, uma identidade que se institui e se reinstitui nas conversações – resultado de uma comunicação processual que dá alma aos fragmentos que, no seu interior, interagem.

O significado constituído por um grupo pode não ser o mesmo para outro; ainda assim, as diferenças convivem e interatuam. Então, pode-se dizer que há uma imbricação entre cultura e comunicação; nenhuma se sobrepõe à outra, uma vez que cultura interpenetra comunicação, ao mesmo tempo que comunicação interpenetra cultura.

Essa inter-relação envolve uma variedade de faces que devem ser observadas em conjunto para que sejam compreendidas adequadamente. Esta coleção revela as faces e interfaces que a cultura e a comunicação assumem no mundo das organizações. Com abordagens teóricas e práticas, apresentam-se ao leitor pensamentos contemporâneos, que ajudam a ampliar o conhecimento, e relatos de casos de empresas, que aproximam e integram os campos acadêmico e profissional. O conjunto da obra, na sua complexidade, procura refletir sobre variáveis diferentes de análise, na tentativa de instituir um diálogo entre as faces.

Comunicação em interface com cultura

Alude ao olhar para as organizações como processo, o que implica uma visão da comunicação interativa – construção de sentido entre sujeitos interlocutores. A cultura é um processo que se cria e se recria a cada nova dinâmica social, sujeita à intencionalidade do ato humano. **Casos Vale e Gerdau.**

Estudos organizacionais em interface com cultura

Essa face leva o mundo dos negócios a refletir sobre o valor do homem e suas relações nesse contexto sócio-histórico, não prevalecendo uma visão unificada da cultura, mas múltiplos processos simbólicos. **Caso Odebrecht.**

Perspectivas metateóricas da cultura e da comunicação

Ao compreender cultura e comunicação como constructos, amplia a reflexão metateórica sobre os estudos nesse campo ao considerar as perspectivas epistemológicas funcionalista, interpretativa, crítica e pós-moderna, sem o julgamento de valor de que uma perspectiva seja melhor ou mais adequada que outra. **Caso Matizes Comunicação.**

História e memória

Contempla o processo de formação da cultura como articulação da presença do indivíduo em relação ao outro ao discutir a história oral, aquela que considera os elementos humanos na sua constituição, sendo sua matéria-prima a memória, a identidade e a comunidade. **Caso Votorantim.**

Cultura e interação

O olhar recai sobre processos simbólicos e práticos, assumindo a interação como um aspecto intrínseco às organizações. São processos criados e nutridos pelos sujeitos múltiplos, os quais assumem papéis estratégicos na comunicação e posições enunciativas heterogêneas. **Caso Basf.**

Liderança e comunicação interna

Evidencia uma descentralização nos ambientes organizacionais ao expandir a visão de relacionamentos pela qual líderes e liderados realizam mudanças. Ganha destaque a comunicação interna que privilegia a constituição dos espaços de fala. **Casos Tetra Pak e Natura.**

Linguagem e discurso

A instância discursiva é um elemento da vida social, pois as práticas simbólicas são continuamente constituídas ao colocar a linguagem em funcionamento nas situações de fala que ocorrem no dia a dia das organizações. **Caso Braskem.**

Contexto organizacional midiatizado

Mídia é entendida como o principal agente contemporâneo de circulação e interconexão de fluxos humanos, materiais e imateriais. **Caso Fiat.**

Conhecimento e mudança

O conhecimento se constitui com base na ação dos sujeitos, ou seja, organizações são dependentes do ser no processo de construção do saber. **Casos Embraco e Itaú-Unibanco.**

Sociedade, comunidade e redes

Reacende o valor das discussões, dos intercâmbios e revela organizações como conjunto de elementos humanos e não humanos que englobam atores, redes e processos comunicacionais. **Casos Samarco e Fundação Dom Cabral.**

Ocorre uma abordagem de ímpeto inovador no campo dos estudos organizacionais e da comunicação quando se suscitam debates e reflexões sobre as diversas faces. Para compor o todo, esta coleção reúne acadêmicos, pesquisadores e executivos de comunicação, reconhecidos nacional e internacionalmente, testemunhas de uma nova realidade: a da cultura e da comunicação como temas conexos. Realidade que desafia os leitores a ressignificar.

Marlene Marchiori

Referências

ALVESSON, M. *Cultural perspectives on organizations*. Cambridge: Cambridge University Press, 1993.

GOFFMAN, E. On face-work, an analysis of ritual elements in social interaction. In: GOFFMAN, E. (ed.). *Interaction ritual*. Nova York: Pantheon Books, 1967.

JAQUES, E. *The changing culture of a factory*: a study of authority and participation in an industrial setting. Londres: Tavistock, 1951.

SMIRCICH, L. Concepts of culture and organizational analysis. *Administrative Science Quarterly*, v. 28, n. 3, p. 339-358, set./dez. 1983.

TYLOR, E. B. *Primitive culture*: researches into the development of mythology, philosophy, religion, languages, art and customs. Londres: John Murray, Albemarle Street, 1871.

Apresentação da face

Este volume, ou esta face, *Perspectivas metateóricas da cultura e da comunicação*, o terceiro da coleção *Faces da cultura e da comunicação organizacional*, trata das relações entre cultura e comunicação, o que compreende acionar lentes positivistas, interpretativas, críticas e pós-modernas para seu estudo.

Na medida em que a literatura sugere cultura e comunicação como abordagens fundamentais ao entendimento e à interpretação das organizações, este volume busca ampliar a reflexão metateórica sobre os estudos da cultura e da comunicação organizacional, ao considerar as perspectivas epistemológicas: funcionalista, interpretativa, crítica e pós-moderna. Alternativas de análise das organizações em diferentes contextos e condições internas, que sugerem diversas abordagens para os estudos da comunicação e da cultura, não fazendo prevalecer, contudo, que um ponto de vista seja mais adequado que outro, o olhar para diferentes concepções de cultura e de comunicação pode ilustrar possibilidades de ampliar o nível de problematização e análise, ao combinar funções, métodos, conceitos e interpretações. Tal condição possibilita o emergir de habilidades de análise, por meio da compreensão, observação e vivência das diferentes perspectivas, resultantes da ampliação dos horizontes de conceitos e constructos nos estudos organizacionais. Somada a essa preocupação está a urgência da abordagem sobre culturas em uma organização. Assim, a imbricação entre cultura e comunicação é um campo a ser explorado e nutrido.

Referencio **Stanley Deetz**, por aceitar o convite e elaborar um ensaio para este volume com reflexões que certamente nos desafiam. Vislumbrar cultura como constelação amplia nossos horizontes, pois "reside no tempo" nos movendo a um panorama de eventos imprevisíveis. Para Deetz, a comunicação e a cultura consistem em um "construcionismo relacional atento politicamente" (modelo PARC).[1] Culturas são "instanciadas" quando pessoas dialogam, não podendo ser compreendidas como um objeto que pode ser gerenciado, o que implica olharmos para a comunicação não como um ato de transmissão.

Marlene Marchiori e **Sergio Bulgacov**, no Capítulo 1, abordam a visão da cultura e da comunicação sob as perspectivas metateóricas: funcionalista, interpretativa, crítica e pós-moderna. Com abordagem diferenciada, mas, ao mesmo tempo, entrelaçada, demonstram-se as diferentes interpretações e manifestações de um ambiente organizacional, propondo reflexões no que tange ao enfoque da cultura na corrente crítica e pós-moderna, ainda não difundidas no campo acadêmico.

George Cheney, **Sasha Grant** e **James Hedges**, por sua vez, apresentam posicionamentos recentes da investigação interpretativa em comunicação organizacional, ampliando a linha de discussão em que o espírito e o método de interpretação são aplicados à pesquisa interpretativa em si.

Dennis K. Mumby comenta que, desde o advento da virada linguística no século 20, os estudiosos de comunicação entendem as organizações como de caráter discursivo, um fenômeno que tem como base o significado; concepção em que o poder é um constructo explanatório central. Esses autores, ao explorarem a tradição crítica, abordam a utilização do poder para entender e explicar os modos como significados, discursos e ideologias funcionam para estruturar realidades organizacionais.

Entre as contribuições, destaca-se a lente feminista sobre cultura organizacional, apresentada por **Patrice M. Buzzanell** e **Daniel Stuart Wilbur**. Chama-se a atenção dos leitores para a tabela que apresenta lentes de gênero feministas para estudar a cultura organizacional, a qual complementa a abordagem de Marchiori e Bulgacov.

Além disso, direcionar uma lente feminista à cultura organizacional implica olhar para aspectos relativos a problemas, práticas, políticas e estruturas que podem ser diferentes dos estudos da cultura organizacional não centrados na exploração da perspectiva crítica. Os autores argumentam que o que identifica a cultura organizacional feminista é a perspectiva

[1] Em inglês, *Politically Attentive Relational Constructionism* nomeia um modelo de comunicação proposto por Stanley Deetz.

ética distinta para cultura, que resulta de uma obrigação moral inerente ao feminismo. A contribuição fundamental do capítulo é o sistema analítico multinível que sobrepõe os processos feministas éticos discursivos em estudos anteriormente desenvolvidos.

Bryan C. Taylor, **Jamie McDonald** e **James Fortney** questionam muito mais que respondem sobre os estudos da comunicação relativos à cultura organizacional. Pronunciamentos sobre o "declínio" ou a "morte" dos estudos relacionados com a cultura parecem ser continuamente proferidos, e os autores interrogam os acadêmicos de comunicação sobre tal declínio, o que pode ser empiricamente apoiado quando se acessam indicadores como palavras-chave em artigos recentes publicados em periódicos líderes da comunicação organizacional dos Estados Unidos. Para esses autores, parece que a ascensão do "discurso organizacional" desafia as tradições interpretativistas, etnográficas e antropológicas sobre os estudos da cultura organizacional. Complementar a essa abordagem está a visão de narrativas para conceituar a relação entre práticas comunicacionais e estruturas organizacionais. Tendências que, juntas, parecem estar interrompendo um período de 25 anos de entusiasmo e dinamismo que envolve os estudos da cultura organizacional no campo da comunicação.

É importante ressaltar que esse capítulo serviu de base para um painel coordenado pelo professor Bryan C. Taylor, com autores que se preocupam com os estudos relacionados com a cultura e a comunicação, durante o congresso da National Communication Association realizado em 2011, nos Estados Unidos.

François Cooren, **Boris H. J. M Brummans**, **Chantal Benoit-Barné** e **Frédérik Matte** instigam os leitores à reflexão ao desenvolverem uma visão performativa da cultura organizacional que permite aos pesquisadores estudar sua constituição comunicativa. O capítulo é desafiante na proposta de entendimento de cultura como "cultivo", por meio de uma análise da renomada organização médico-humanitária internacional Médicos Sem Fronteiras (MSF).

Robert Chia aborda os modos de organizar e comunicar como fenômenos sócio-históricos e culturais. Mesmo com o advento da globalização, a vida civilizada difere-se substancialmente nos caminhos pelos quais os recursos de tempo, espaço e material são percebidos, priorizados e mobilizados para enfrentar os desafios e as demandas da vida diária. Modos preferenciais de comunicação acabam por depender das formas de linguagem e das interações e tradições e práticas cultivadas em uma coletividade específica. O capítulo explora como a linguagem e os pressupostos contrastantes acerca da natureza de distintas realidades resultaram em diferentes mentalidades, práticas sociais, disposições culturais e prioridades de decisão no mundo dos negócios. Essas perspectivas metafísicas contrastantes e visões de mundo têm afetado como as duas culturas veem as práticas de organização, comunicação e desempenho no contexto do negócio.

Nas páginas finais, as reflexões de **Olinta Cardoso**, **Danusa Araújo do Nascimento** e **Fahad Al Adi**, no estudo de caso de Omã, auxiliam na compreensão dos inúmeros ambientes encontrados simultaneamente em uma mesma organização, com os quais a interação e a construção de sentido é condição. Uma dimensão estratégica da comunicação requer um olhar sobre a cultura e suas expressões, concebendo os espaços organizacionais como situações de descobertas, desafios, relações que se constituem e pelas quais a identidade de uma organização se mantém. É na busca por conhecer as realidades dos territórios que as relações com diferentes *stakeholders* se fundamentam e os diálogos sociais se processam. Os desafios estratégicos instigam processos e práticas comunicacionais que consideram o contexto, os públicos e as mensagens.

Ao final deste volume da coleção, apresenta-se um **roteiro para análise da face** para os leitores interessados em se aprofundar mais na pesquisa.

Agradeço a confiança e a participação de acadêmicos, estudiosos reconhecidos nos campos da Comunicação e da Administração, que contribuíram com suas reflexões voltadas a instigar o pensar sobre tais perspectivas. Nosso desafio consiste no amadurecimento da capacidade de demonstrarmos teórica e empiricamente a premência da comunicação na constituição, no desenvolvimento e na mudança de uma cultura.

Marlene Marchiori

Ensaio

Cultura: a constelação

Compreender a relação entre cultura e comunicação é uma das tarefas mais importantes e desafiadoras de nosso tempo. Questões intelectuais ocupam aqui os grandes espaços historicamente reservados para as teorias da mente, da natureza, da razão e do julgamento humano. Em seu sentido mais profundo, tais questionamentos até mesmo substituem essas preocupações históricas essenciais, fazendo com que elas sejam dependentes dessas novas temáticas. O início da "virada linguística", na década de 1930, ainda está acontecendo, influenciando a filosofia e a análise das organizações. Discussões sobre cultura e comunicação trazem à tona essas questões não resolvidas.

Essas, no entanto, não são apenas de cunho intelectual. Em um mundo que está em rápida transformação e em que as diferenças humanas estão à frente de um contexto cada vez mais interdependente e em que nossas experiências são altamente mediadas, essas são questões centrais para a qualidade da existência humana e, talvez, para a sobrevivência da maioria das criaturas vivas.

Não é sem surpresa que grande parcela das disciplinas das ciências sociais e humanas, bem como autores populares com diferentes interesses, têm se envolvido com derivados da relação entre comunicação e cultura. Assim, este volume reúne atores em uma das várias arenas nas quais essas questões vêm sendo discutidas. O estudo das organizações é um contexto relevante para a exploração de vários aspectos dos questionamentos levantados.

Tanto a "cultura" quanto a "comunicação" têm tido uma história cheia de altos e baixos nos estudos organizacionais. Nos anos 1980, cultura poderia ser rotulada, por si só, como "o aspecto essencial da excelência" e tida como "morta enquanto conceito útil"; definições que poderiam ter sido consideradas simultaneamente verdadeiras. O uso do termo "faces" no título desta coleção é bem escolhido. Claramente, cada texto tem por foco compreender como a cultura começa a aparecer nos estudos acadêmicos, sem necessariamente perguntar a que "face" se refere. E, claramente, o oposto, subtendido, dessa "aparência" é muito importante. Por exemplo, ao se descrever a cultura como o lado "subjetivo" da vida ora ganizacional ou como "construção social", já se começa a definir o que é "objetivo" ou o que é "material".

Como é óbvio em várias das contribuições, tanto a "cultura" quanto a "comunicação" permanecem como termos controversos na literatura acadêmica. Neste livro, as duas são utilizadas para chamar a atenção para aspectos competitivos da vida organizacional e são desenvolvidas por diferentes autores, empregando conceitos e teorias contrastantes.

A professora Marlene Marchiori organizou e possibilitou a um elenco impressionante de autores explorar facetas das perspectivas e dos debates em torno dos estudos da cultura organizacional em relação aos processos de comunicação. Apesar de esse grupo ter como referência acadêmicos norte-americanos que estão desenvolvendo estudos na área de comunicação organizacional, apresenta-se diverso e enriquecido pela inclusão de vozes incomuns a essa literatura específica.

Este volume, então, permite que cada perspectiva, cada "face", mostre-se, e isso oferece um mosaico interessante. Todavia, uma das dificuldades de se respeitar as diferentes "faces", simplesmente as apresentando em vez de interrogá-las, é a possibilidade de manter autores e programas de trabalho separados, de forma segura; como uma feira cosmopolita de comida ou como universos paralelos. Você sente isso ao ler esta obra. Forçar os autores a comprometerem-se com suas perspectivas e a responderem uns aos outros pode ser algo que acarrete correções importantes e leve à invenção de híbridos muito importantes. A separação, mas com tratamento equânime, que vemos neste livro e em muitos contextos acadêmicos, permite que cada grupo de autores avance, de forma independente, com sua perspectiva, como se ela fosse melhor que a dos outros. Muitos escrevem proclamando sua originalidade e superioridade, sem responder aos outros; portanto, escrevem mais para recrutar outros e não para engajá-los.

Termos como "significado", "interpretação", "discurso", "constitutivo" e "construção social" são, às vezes, empregados sem muita precisão, sem o respeito por usos fundamentalmente diferentes e sem um conceito, cuidadosamente desenvolvido, de experiência humana ou de linguagem. Eles podem ser provocativos, mas sem muito conteúdo, ou, frequentemente, em diferentes lugares, se fundamentarem em distintos, e até mesmo contraditórios, usos. Em um nível superficial, os autores parecem estar falando sobre os mesmos assuntos, mas, frequentemente, não o estão. Apesar das idas e vindas da "cultura" como o termo organizador/sensibilizador preferido no que diz respeito às novidades linguísticas e à moda em literaturas profissional e acadêmica, prefiro o termo "discurso". Ele nos remete às conexões históricas e à história situada de um povo, ao sentido completo de viver e trabalhar juntos.

Os autores deste volume não estão claramente divididos em categorias tradicionais de "interpretativo", "funcionalista", "crítico" e "pós-moderno". Eles apresentam complexos comprometimentos teóricos e são parecidos e desiguais de maneiras distintas. Apesar de suas diferenças, todos eles compartilham concepções e perspectivas em comum que se diferenciam radicalmente das visões habituais de "cultura" como objeto ou atributo que pode ser possuído e administrado; e de "comunicação" como um ato que significa transmissão.

Gostaria de discutir brevemente aqui as complexidades que esses autores compartilham em contraste às concepções cotidianas das quais eles divergem, em vez de me dedicar às relações difíceis e importantes que eles têm com essas visões cotidianas. Para isso, preciso me distanciar por um momento dos textos deste volume para descrever "cultura" como um interesse multifacetado permanente e sempre presente nas "faces", mas, com frequência, ofuscado/eclipsado pela "face" que vários autores trazem à discussão. Quero argumentar que "cultura", enquanto termo, chama a nossa atenção para uma constelação inter-relacionada de construções situacionais/sociais/históricas que são chamadas à cena quando e da maneira como os grupos respondem, agem e conversam sobre o mundo e sobre os outros.

Cultura – a constelação – sempre contém e retém conflitos, mas também é cheia de relações articuladoras que dão a esses conflitos características de tensões mais ou menos produtivas. Essa constelação se situa no tempo, mas se move em direção a um horizonte aberto de eventos imprevisíveis limitados por graus de **autopoesis**, mas que são também **adaptativos** – isto é, ambos os processos de fechamento e transformação sempre existem. **Autopoesis** é constituída, mais provavelmente, de certas configurações estruturais e sistêmicas de poder e controle, em que **adaptabilidade** e **transformação** são aumentadas pela presença de fortes formas de "alteridade", com retenção da diferença. Em meu trabalho, tenho me referido à comunicação e à cultura dessa forma, como um **construcionismo relacional atento politicamente** (modelo PARC).

Permitam-me discorrer um pouco a respeito disso. O que significa "constelações inter-relacionadas de construções"? Eu gostaria de utilizar o termo "construção" em um sentido mais fenomenológico comum àqueles que discutem cultura e comunicação organizacional, especialmente quando noções particulares de construção **social** são mencionadas. A aplicação do adjetivo "social" a todos os construcionistas fez com que fosse confundida a preocupação com os processos de institucionalização e naturalização com a experiência e os processos de formação do conhecimento enquanto aspecto pré-subjetivo/pré-objetivo da vida. As construções que compõem a constelação são mais bem descritas como **construções relacionais**.

Do ponto de vista da perspectiva construcionista-relacional, a experiência de qualquer criatura é um produto relacional resultante de um modo específico de encontrar o mundo com um equipamento de sentido específico e um mundo que é encontrado dessa forma. Nem o externo nem a presença de projetos humanos reais são deixados de fora. Em vez disso, o foco é voltado para a relação coformadora. Vista sob uma orientação construcionista-relacional, ambos, tanto a forma do encontro quanto o encontro em si, são tratados como fluidos e indeterminados, tornando-se determinados somente na interação. Nos termos da teoria da articulação, os "elementos" exteriores tornam-se articulados como "objetos" apenas em momentos específicos do encontro. A "materialidade" se faz presente como "objetos", não como "elementos".

O construcionismo-relacional não é uma via de mão única do sujeito para o mundo, mas chama a atenção para como configurações relacionais de sujeito/objeto já criadas tornam-se institucionalizadas e tratadas como naturais. Isso nos instiga a voltar a explorar os momentos de coformação e a condição que possibilitam construções específicas.

Uma visão construcionista-relacional mostra que a experiência surge de relações no mundo, ao invés de resultar de pessoas olhando para um mundo imutável. As pessoas não são separadas do mundo. Elas estão sempre, primeiramente e antes de tudo, no mundo com projetos e atividades reais. O mundo é sempre visto/produzido de algum lugar por meio de algum sentido ou equipamento que estende esse sentido. Qualquer maneira específica de lidar com o mundo tem sido tradicionalmente chamada de **posição subjetiva**. Posições subjetivas não são pessoais ou biográficas. O conceito é parte de um relato interacional e não psicológico da experiência. Posições subjetivas são formas de engajamento historicamente produzidas e socialmente compartilhadas. Elas são formas possíveis, socialmente disponíveis, de se lidar com o mundo, mas sua natureza social e histórica é geralmente desconsiderada; portanto, suas políticas são analisadas, quando o são, superficialmente.

Posições subjetivas tornam-se rotinizadas, sedimentadas e institucionalizadas em práticas, linguagem, objetos e tecnologias. Com isso, o que se originou, como um encontro direto, é reproduzido à medida que as pessoas são recrutadas ou interpeladas para modos de encontro e processos de construção disponíveis. Nesse processo, novas possibilidades subjetivas e a indeterminação do encontro podem não vir à tona. A contestação de possibilidades perde para a reprodução e a supressão de conflito; isso dá a aparente estabilidade da cultura. A cultura, nesse sentido, é sempre a descrição de uma possibilidade, a oportunidade de uma experiência rica e complexa que a singularidade e o presente sem a contextualização histórica não podem proporcionar, e uma dificuldade, a inclinação para algumas experiências em detrimento de outras, geralmente a favor dos grupos dominantes historicamente.

A posição subjetiva não é abstrata; é sempre estabelecida em relação a algo. Uma posição subjetiva (um modo de encontro) é concretizada em relação a o "que" é encontrado. Para fins de análise, cultura, como termo, chama a nossa atenção para uma constelação de seis tipos diferentes de construções relacionais, cada uma baseada em o "que" é encontrado, que pode ser descrito como: (1) o mundo interior; (2) o mundo de outros específicos; (3) o mundo social dos outros, em geral; (4) o mundo externo; (5) o futuro; e (6) a presença de recursos limitados.

As construções relacionais que ganham vida no encontro entre uma posição subjetiva e aquilo que é encontrado produzem reivindicações **sobre** o que foi encontrado e **relacionadas com a** pessoa que está incorporando a posição subjetiva. Cada um desses seis tipos de reivindicação poderia sofrer discordâncias ou ser contestado em interações de natureza interpessoal com outros ou em grandes disputas públicas. Por poderem ser disputadas/debatidas, as reivindicações têm implicações para as nossas escolhas em conjunto, e, por terem sido criadas sob condições de desigualdade de poder, podemos dizer que cada tipo de reivindicação diz respeito a "políticas" distintas. Construções são, portanto, resultados das políticas da produção delas. E todas as construções acontecem em condições reais de desigualdade, circunstâncias históricas específicas e necessidades práticas. Uma cultura específica é, então, uma configuração inter-relacionada do resultado contínuo das seis políticas. São elas:

1. A **política da autenticidade**. Que sentimentos estão presentes e são possíveis? Quais são as ações e práticas interpretativas requeridas para que tais sentimentos aflorem? Como os sentimentos, e a produção dos sentimentos, são distribuídos e institucionalizados?

2. A **política da identidade e do reconhecimento**. Quem são as pessoas na interação ou organização? Quais são seus direitos subtendidos e responsabilidades com essas identidades? Quão fortemente elas se identificam com essa identidade? O que desafiaria essa identidade? Como as identidades são institucionalizadas?

3. A **política da ordem**: Que comportamentos, ações e formas de conversa são considerados apropriados? Que normas e regras lhes dão suporte? As pessoas os têm como legítimos e aplicáveis a elas? Como as regras e as normas são institucionalizadas?

4. A **política da verdade**. O que os membros consideram que é verdade? Quais são as garantias deles para a reivindicação da verdade? Quais são seus processos de disputa e adjudicação? Como a relevância do conhecimento é determinada? Quais são as práticas de formação, distribuição e institucionalização do conhecimento?

5. A **política de narrativas de vida**. Como o mundo funciona para as pessoas? Como seria um futuro bom e bonito? O que elas desejam para si nesse futuro? Qual é a forma por elas preferida e/ou esperada para chegar a esse futuro? Quais são suas histórias favoritas de como tudo funciona? Como se dá a institucionalização do sentido em relação ao movimento do passado para o futuro?

6. A **política da distribuição**. O que as pessoas consideram ser a maneira correta e apropriada de distribuir recursos? O que é o justo para elas? Como os sistemas de distribuição e justiça são institucionalizados?

Na constelação da cultura, essas políticas não são independentes, e sim articuladas e agrupadas de forma específica. A ação de uma reflete-se nas demais. Desafiar uma reivindicação por conhecimento, por exemplo, traz implicações para a identidade, e assim por diante. Em conflito, uma "face" ou as políticas são, com frequência, destacadas, mas a intensidade do conflito está nos desdobramentos das políticas escondidas nas outras configurações relacionais. Desse modo, conversações de implicação superficial e interpretativa são sempre feitas de uma vez. Cada um desses processos políticos e seus resultados, portanto, proporcionam uma "face" da cultura e podem se tornar a base para o estudo acadêmico. A maioria das mudanças culturais ocorre em torno do reenquadramento ou da rearticulação de relações entre as configurações políticas.

Muitos dos textos neste volume têm como foco "faces" específicas desta constelação. Os professores Chia, Mumby, Buzzanell e Wilbur estão interessados nos contextos sociais e históricos e nas relações de poder que levam a construções específicas, e nas formas como estas podem ser desalojadas para reabrir o conflito produtivo. Cheney et al. têm seu foco na identidade e na identificação do desenvolvimento longitudinal da vida organizacional e em suas consequências para a aprendizagem. Cooren et al., Taylor et al. estão preocupados em como o uso da linguagem se relaciona com a institucionalização e quão útil a análise do discurso pode ser para a compreensão dos processos culturais. Cada um dos capítulos desses autores, bem com os outros deste volume, de caráter mais geral, oferece uma parte da explicação sobre o tema; mas qual pode ser a vantagem de apresentar seus trabalhos em um quadro de referência mais amplo? Talvez não seja o caso deste livro, mas seria interessante ver mais engajamento de um autor com o outro.

Stanley Deetz

Diretor do Center for the Study of Conflict, Collaboration and Creative Governance, da University of Colorado, em Boulder (Estados Unidos)

CULTURA E COMUNICAÇÃO: PERSPECTIVAS METATEÓRICAS

Marlene Marchiori
Sergio Bulgacov

Este capítulo busca ampliar a reflexão metateórica sobre os estudos da cultura e da comunicação organizacional apresentando quatro de suas perspectivas epistemológicas: a funcionalista, a interpretativista, a crítica e a pós-moderna. Cada uma delas apresenta uma abordagem diferenciada, e ao mesmo tempo entrelaçada, para a cultura e a comunicação, em que não se observa uma se sobressaindo em relação à outra, mas, dependendo do contexto experimentado pela organização, uma se revelando de forma mais intensa que a outra. A caracterização se dá ao se analisar o ambiente vivenciado pelas pessoas em determinado espaço, aqui entendido como organização. Vale destacar que organizações são realidades de comunicação e de produção de sentidos (FAUSTO, 2008), sendo construções plurais marcadas pela diferença e diversidade. São, portanto, em sua essência, fenômenos comunicacionais, carregados de culturas.

As diferentes abordagens teóricas que emergem de dado tópico podem ser compreendidas como um estudo metateórico. Ritzer (1991, p. 3) considera uma análise metateórica "um processo que ocorre após uma teoria ter sido criada e considera a teoria recém-criada como objeto de estudo", quando comparada com outras teorias, não devendo existir suposições filosóficas que possam ser interpretadas como corretas ou erradas, mas, sim, simplesmente como suposições diferentes (MACCAULEY; DUBERLEY; JOHNSON, 2007).

O argumento central traduz-se nesta questão: qual é o status e a perspectiva dos estudos em comunicação organizacional quanto a sua condição epistemológica funcionalista, interpretativa, crítica e pós-moderna? Uma das principais razões que orientam essa questão diz respeito à forte evolução da fragmentação contemporânea desse campo de conhecimento apresentada nas diferentes teorias e perspectivas ontológicas e epistemológicas que envolvem tanto os estudos da cultura organizacional como os da comunicação. Entende-se, então, que essa dicotomia pode ser capaz de reduzir a interação e a comunicação entre estudiosos e praticantes, ampliando a distância entre ambos. A organização abrange muitas práticas, e estas são envoltas em diferentes aspectos culturais disponíveis em todo o seu campo. Nesse sentido, tem-se como pressuposto o fato de que a comunicação é um fenômeno social tanto pelas atividades dos praticantes e dos pesquisadores, como pela própria interação comunicacional em si e entre ambos, sujeita a inúmeras intervenções e investigações. Dessa forma, pretende-se que as apresentações dessas perspectivas sobre cultura e comunicação colaborem com o entendimento das ocorrências de sua fragmentação ou convergência.

A abordagem clássica funcionalista encontra-se amplamente difundida no meio acadêmico, em níveis teórico e prático. A interpretativa, com os estudos de Putnam nos anos 1980, deixa evidente que a realidade se forma a partir do momento em que as pessoas interagem e nesse processo trocam significados, construindo sentidos ou contrassentidos. As demais interpretações, que não servem aqui de contraponto, foram trazidas como alternativas para a construção e o processamento da cultura e da comunicação nas organizações. Com a apresentação das diferentes perspectivas, é primordial o entendimento e a interpretação dos contextos e dos discursos ali existentes, que se constituem como práticas e permeiam de modos distintos as organizações.

Esse raciocínio leva a explorar as perspectivas aqui apontadas, ao oferecer alternativas de análise das organizações em diversos contextos, não entendendo, contudo, que uma seja mais adequada em detrimento a outra.

Organizações são permeadas por seus intensos movimentos, os quais se dão, em sua essência, pela comunicação. A cada movimento, uma perspectiva entra em cena em razão do sentido ou contrassentido que traz para a situação vivenciada. É interessante observar que a organização não se constitui de um único movimento, mas de inúmeros movimentos simultâneos que "ecoam" em determinado contexto e que possibilitam o amadurecimento individual.

Nos estudos da comunicação organizacional, por exemplo, identificam-se claramente dois grupos de praticantes epistemológicos. Por um lado, há o posicionado funcional, que se baseia na racionalidade e no desenvolvimento do paradigma único. Nesse caso, a visão de comunicação funcional, ainda dominante, é consistente com os modelos informacionais (CRAIG, 1999). Certamente, há muito a defender e a desenvolver sob sua própria referência preferencial. Por outro lado, há o posicionamento mais de bricolagem, no qual diferentes perspectivas de análise são consideradas ao se assumir que a orientação de análise depende do problema em investigação.

Se, por exemplo, o problema for de eficiência, certamente a perspectiva funcional torna-se absolutamente relevante. Se a questão for de entendimento, a condição da interpretação se faz necessária e, portanto, presente. Movimentos indesejados da estrutura organizacional tornam relevante a perspectiva crítica. Um entendimento da realidade complexa sem uma abordagem fundamental teórica e anterior de análise traz a perspectiva pós-moderna como referência. Entretanto, condições de grande complexidade, que envolvem diferentes problemas, demandam assimilar diferentes pontos de vista. Soma-se a essa reflexão a possibilidade de, seguindo a orientação de Martin (1992), haver simultaneidade quanto às perspectivas em um mesmo espaço. As organizações dependem do contexto sócio-histórico, dos relacionamentos e da vivência entre os indivíduos para o conhecimento de qual perspectiva entra em cena. É importante destacar que este texto não entra no mérito valorativo de cada posicionamento. Assim, este capítulo não pretende assumir uma posição nesse sentido. Entende-se, por conseguinte, que cada perspectiva pode contribuir com o estudo de uma prática ou de uma investigação a sua maneira, e deixar ao leitor sua própria reflexão, interpretação e uso dos conhecimentos apresentados.

Os autores que embasam este capítulo foram amplamente estudados por Marchiori (2009) e são reconhecidamente os mais citados em suas áreas, além de terem sido selecionados por suas qualidades de abordagens inaugurais e inovadoras. Espera-se, portanto, que a presente pesquisa bibliográfica possa contribuir para uma reflexão acerca da temática, viabilizando o desenvolvimento de novos estudos. Nesse sentido, entende-se que, ao se apresentar a perspectiva funcionalista e interpretativa, revelam-se estudos já discutidos no campo acadêmico. Por outro lado, a proposição do olhar sobre a cultura, nas perspectivas crítica e pós-moderna, é uma abordagem inovadora, no sentido de ser observada, questionada, para que esses estudos sejam ampliados (Quadro 1.1).

Quadro 1.1 – Comunicação organizacional e abordagens da cultura

	Funcional	Interpretativa	Crítica	Pós - moderna
Fenômeno social	Estruturas concretas Entidades materialistas	Construção social	Reconstrução social Mudança social	Múltiplo Discursos
Escola de pensamento	Positivismo	Centralizado no significado	Poder e ideologia	Multiplicidade de interpretações
Estrutura organizacional	*Containers* Entidades que causam efeitos	Processos, interações, relacionamentos, estados, poder, linguagem, de mudança	As relações entre poder, linguagem, prática social/cultural	Sites discursivos
Indivíduos	Produtos do seu ambiente Instrumentos de ação intencional/ racional	Ativadores de sentido	Pessoas livres de constrangimentos ideológicos	Multi-habilidades Atos de saber criam o que nós percebemos
Visão organizacional	Unitária	Pluralista	Competição/ dominação	Multiplicidade
Orientação	Conservador	Tratamentos múltiplos da realidade organizacional	Emancipação	Desunião Contradição
Realidade social	Objetividade Estabilidade	Subjetividade Intersubjetividade Dinâmico	Opressivo Conhecimento constitutivo	Consensos e dissensos coexistem
Ênfase organizacional	Econômica Especialização	Social Inovação	Política	Difusão, diversidade, tempo e espaço

Continua

Continuação

	Funcional	Interpretativa	Crítica	Pós - moderna
Visão comunicacional	*Container*	Centrado no significado	Centrado no poder	Flexibilidade Diferença
Essência da comunicação	Transmissão e efeitos de canal	Linguagem, interação e símbolos	Comunicação livre e aberta	Discurso Conhecimento
Processo	Transmissão de mensagens	Criação ou alteração de eventos organizacionais	Ideologia Infundida com poder	Linguagem constitui a realidade
Foco do estudo	Fluxo de mensagens	Linguagem usada para criar experiências	Pessoas livres da injustiça, opressão e dominação	Descontinuidades
Estilo de comunicação	Formal	Formal e informal	Democracia no lugar de trabalho	Ruptura entre forma e conteúdo
Conteúdo e significado	Mensagens precisas Orientada em tarefas	Processo comunicativo contínuo e dinâmico	Controle do discurso	Diversidade
Significado	Reside nas mensagens, canais, filtros perceptíveis	Processo de interação	Evita distorções	Coletivizado
Pesquisa	Função e explicação casual	Descritiva	Avaliativa	Busca de diferenças
Liderança organizacional	Desconfiança Variável / artefato	Relacional Metáfora de raiz	Processo reflexivo	Confiança Metáfora *web*

Continua

Continuação

	Funcional	Interpretativa	Crítica	Pós - moderna
Cultura organizacional	Organização **tem**	Organização **é**	Organização **faz**	Organização **surge como discurso** Texto emergente
Características	Consenso, coerência e clareza Estática, previsivelmente linear	Interação compartilhada Interação recíproca de significado	Ideológica ou sistematicamente distorcida	Dissenso, paradoxo da ironia, ambiguidade, fluidez de significados

Fonte: Proposto pelos autores.

Cultura organizacional

Para a adequada compreensão dos estudos contemporâneos sobre cultura organizacional, Martin (2005) propõe observar as principais diferenças entre as teorias e os métodos utilizados. Alguns estudos dão preferência ao método qualitativo, e outros, ao quantitativo. Uns preferem referenciar o papel da liderança, enquanto outros apontam o lado do conflito ali existente. Há abordagens que buscam a generalização, em contraposição, há estudos que indicam populações específicas de abrangência.

De qualquer forma, uma abordagem se faz fortemente presente nos estudos organizacionais, entendendo que as organizações são fenômenos culturais (PETTIGREW, 1979; SMIRCICH, 1983; PEPPER, 1995). Destaca-se, nesse processo, o inter-relacionamento entre os seres humanos e a cultura (EISENBERG e RILEY, 2001). As práticas culturais emergem justamente das experiências humanas, e, as pessoas, são dependentes das próprias práticas que criam (MARCHIORI, 2009). Nesse aspecto, sugere-se observar o quanto as pessoas são conscientes das práticas que criam, uma vez que elas sofrem naturalmente influência do que acabaram de criar. E são justamente esses movimentos que trazem o sentido para o entendimento de determinada realidade. A análise do contexto histórico e da estrutura social, portanto, é que possibilita a compreensão desse ambiente (CONNERTON, 1976).

Dessa forma, mesmo sendo considerada uma abstração, a cultura pode ser observada sob diversas perspectivas. Por um lado, a cultura pode ser interpretada como experiências de aprendizagem compartilhadas, assumidas por determinado grupo e que podem ser analisadas por meio de artefatos, crenças, valores, regras, comportamentos e suposições adotadas (SCHEIN, 2009). Também com essa abordagem, Bennis (1969) afirma que a única forma de se modificar uma organização é quando se muda sua cultura. Nesses termos, o discurso preconiza o desempenho das organizações sob uma visão direcionada ao gerenciamento da cultura. E esse discurso de busca de resultados, de alto desempenho, é identificado como aquele que proporciona retorno e efetividade, portanto, *management oriented*, uma abordagem positivista da realidade.

À perspectiva objetivista é ora somada, ora contraposta a uma literatura que traz referências subjetivistas de cultura, conforme observado por Martin (2002), em que se acredita que a percepção do analista não pode capturar toda a realidade de experiências e eventos dos envolvidos. Isso porque essas já são consequências de mundos previamente simbolizados, e, assim, os significados são sempre arbitrários em relação ao objeto sendo significado e ressignificado. A comunicação não pode ser reduzida a um processo informacional, em que significados são assumidos como existentes (DEETZ, 1992). Jelinek, Smircich e Hirsch (1983) apresentam o conceito de cultura como produto e processo continuamente criados por pessoas em processos de interação. Smircich (1983) sugere que organizações passem a ser também entendidas e analisadas como formas expressivas, manifestações da consciência humana. Processos de construção social do significado (DEETZ, 1992) emergem da conversação (KUHN; ASHCRAFT, 2003). Essa modalidade de pensamento adota a ideia da cultura como um dispositivo epistemológico, o qual sugere o estudo da organização como um fenômeno social que compreende uma forma de expressão humana.

As consequências dessas perspectivas funcionalista e interpretativa são refletidas nas diferentes aplicações dos estudos sobre cultura, seja em termos específicos sobre a própria noção de cultura, seja em suas inter-relações conceituais com a cultura e a comunicação organizacional.

Cultura e comunicação organizacional

McPhee e Zaug (2000, p. 1) afirmam que "organizações são constituídas comunicativamente". Nessa condição social, cultura e comunicação emergem como questões imprescindíveis nos campos organizacionais. Os processos e as interações comunicacionais que criam a oportunidade de desenvolvimento da cultura e a revelam devem ser continuamente pesquisados e explorados, uma vez que fundamentam e constituem a existência das organizações.

Nesse sentido, são apresentadas a seguir as diferentes abordagens epistemológicas que tratam da relação entre cultura e comunicação, resumidas no Quadro 1.1. Ao refletir sobre cultura e comunicação no contexto organizacional, podem-se discutir estas questões: por que se deve considerar cultura e comunicação aspectos indissociáveis em organizações? Quais são as perspectivas de cultura e comunicação que emergem da análise metateórica? Quais são as diferenças e similaridades? Por que considerar cultura organizacional na contemporaneidade? Os textos pesquisados incitam esses questionamentos e são reflexos das diferentes perspectivas apresentadas na sequência.

Referencial funcionalista

A perspectiva funcionalista é orientada para a capacidade de gerenciamento do meio organizacional (McAULEY; DUBERLEY; JOHNSON 2007, p. 20), na qual as práticas gerenciais são estimuladas para se alcançar a eficiência e a eficácia organizacionais. Na comunicação, as mensagens assumem formas físicas, com propriedade tangível, e ocorrem nos fluxos ascendente, descendente e horizontal de suas estruturas (PUTNAM, 1983), sendo, portanto, uma visão linear da comunicação, a qual pode ser medida e avaliada.

A preocupação recai sobre o nível da informação no interior da organização, principalmente no que tange aos aspectos formais e informais e à rede de comunicação. Nessa perspectiva, admite-se a existência de leis universais, segundo Putnam (1983), o que facilita a explicação dos fenômenos que ocorrem nas organizações, nas quais a ciência produz conhecimento objetivo, dada a visão relativista do mundo social. Causalidade é, assim, vital para o desenvolvimento de conhecimento generalizado (PUTNAM, 1983, p. 41). A análise dos comportamentos organizacionais tem como base leis generalizadas que governam o comportamento social em uma relação de causa e efeito.

Organizações carregam um sentido de uniformidade na filosofia, objetivos e procedimentos (PUTNAM, 1983). A perspectiva funcionalista reifica o processo social em propriedades fixas, tratando organizações como entidades (PUTNAM, 1983) – por reificar entende-se transformar o abstrato, mediante atuação cuja finalidade é tornar concretas formas simbólicas e fatos empíricos (SWENSON apud PUTNAM, 1983). A comunicação também é vista como um instrumento, uma ferramenta, cuja função, conforme apontado por DEETZ e KERSTEN (1983, p. 155), é contribuir para o alcance dos objetivos organizacionais. Para Morgan (apud SMIRCICH, 1983, p. 223), a teoria organizacional funcionalista propõe uma linguagem capaz de criar e sustentar um sistema de valores para o conhecimento e gerenciamento da experiência organizacional. No paradigma teórico funcionalista, segundo Bulgacov e Bulgacov (2007), baseando-se em Burrell e Morgan (1994), administrar o sistema comunicacional significa lidar com relações e instrumentos, estabelecendo-os para produzir resultados de forma sistêmica. Pressupõe-se, por conseguinte, agir racionalmente, seguindo regras. A formulação de problemas centra-se na análise dos fatos e na respectiva contribuição para os resultados. Os problemas administrativos acabam por surgir em função da falta de conhecimento, envolvimento e, até mesmo, pela incompetência na identificação de soluções.

Nessa concepção, as organizações abrigam relações práticas que, por sua regularidade, constituem instrumentos que podem ser identificados, estudados, medidos e transformados. Tais relações e sua regularidade estão fundadas nas leis naturais do conhecimento, que devem ser investigadas e servir como base para a compreensão e a intervenção no mundo. Enfatizar a perspectiva funcionalista é o mesmo que realçar uma cultura compartilhada em toda a organização. Dessa forma, pretende-se que as pessoas estejam comprometidas com os objetivos organizacionais prescritos pelos gerentes. Gerentes esses que fazem uso da comunicação como instrumento e por esse meio controlam determinada situação (PUTNAM 1983), mantendo-se a integridade da organização. A cultura pode, assim, ser gerenciada com a finalidade de criar uma organização efetiva e competitiva (TRETHEWEY, 1997) ou os gerentes podem controlar empregados por meio da cultura (McAULEY; DUBERLEY; JOHNSON, 2007). Em outras palavras, a cultura e a comunicação são instrumentos de gestão, e não de processos.

Essa visão positivista, que entende a comunicação como ferramenta de gestão, está fortemente presente nos estudos organizacionais, havendo nas pesquisas sobre comunicação organizacional da área de administração, segundo Blikstein, Alves e Gomes (2004, p. 129), "predominância de estudos funcionalistas". Nos estudos da comunicação, a abordagem dominante é condizente com o modelo informacional (CRAIG, 1999), e soma-se a esse posicionamento o fato de a visão da comunicação organizacional interpretativa estar em estágio de desenvolvimento no Brasil (PUTNAM; CASALI, 2009). A visão interpretativa da comunicação, entende as organizações como locais que se constroem socialmente, em que o significado acontece pelo entendimento de si e do outro nos inúmeros contextos vivenciados (HATCH; CUNLIFFE, 2006). A cultura e a comunicação são vistas como processos que se realizam pelos indivíduos em interação.

Perspectiva interpretativista

Dos limites da perspectiva funcionalista, advém uma consideração maior às pessoas que exercem as práticas existentes nas organizações, ou seja, a perspectiva interpretativista. Sobretudo, na medida em que se questiona como a realidade organizacional é constituída (PUTNAM, 1983), ampliam-se horizontes no desenvolvimento teórico da comunicação e de sua relação com outras disciplinas. Uma conferência organizada, em 1983 nos Estados Unidos, pelos acadêmicos Putnam e Pacanowsky, serviu de palco para a visão da comunicação organizacional como processo central das organizações, "comparando comunicação com organização" (EISENBERG; RILEY, 2001, p. 292). Esse evento pode ser considerado um marco no desenvolvimento dos estudos da cultura e da comunicação organizacional na abordagem interpretativista, a qual inspirou estudiosos de outros campos. Segundo Eisenberg e Riley (2001, p. 293), pesquisadores da área de comunicação começaram a explorar organizações como "entidades sociais [...] constituídas em interação", assim como a identificação do papel constitutivo da comunicação na criação da cultura organizacional.

Nesse caso, cultura e comunicação passam a ser apreendidas como processo. May e Mumby (2005, p. 5) alertam para o fato de pesquisadores que estudavam "comunicação e organizações" passarem a examinar "como o processo comunicacional constitui organização", isto é, como um novo olhar possibilita ampliar horizontes de análise e intensifica a visão da comunicação como aspecto constitutivo da cultura organizacional, o que fortalece a ideia de imbricação entre comunicação e cultura (MARCHIORI, 2011), ou seja, uma se sobrepõe à outra. Os ambientes organizacionais são expressos em dada realidade cultural, por meio de seus discursos e relacionamentos. Conforme proposto por Eisenberg e Riley (2001, p. 317): "[...] precisamos entender que nosso trabalho tornou-se parte do fenômeno cultural que estamos estudando, e nós estamos, em parte, reflexivamente criando o futuro das organizações".

Cultura é o resultado da interação social e é constituída por meio da comunicação. Bormann (1983) define comunicação como o processo social humano pelo qual as pessoas criam, desenvolvem e sustentam a consciência grupal, compartilhada e simbólica. Para o teórico, a comunicação é fundamental, não sendo condição suficiente para a formação da cultura organizacional, pois outros aspectos, como artefatos, tecnologia, ferramentas, são necessários. O autor enfatiza que, sem comunicação, esses componentes não resultariam em uma cultura. Cultura e comunicação são, portanto, processos imbricados, uma vez que constantemente sobrepõem-se um ao outro; a cultura é o efeito da comunicação, ao mesmo tempo em que a comunicação é o efeito da cultura (MARCHIORI, 2011).

Para Cheney e Lair (2006, p. 58), ao analisarmos organizações e comunicação, passamos a observar profundamente o fenômeno considerando simultaneamente o status de uma organização, como ator social, e o processo de organizar que acaba por criar, manter e transformar a própria organização. Organizações estão em estado latente de desenvolvimento, podendo cultura e comunicação ser admitidas como provedoras de conhecimento e um auxílio para contribuir com novos desafios no mundo organizacional.

Gadamer (apud DEETZ; KERSTEN, 1983) afirma que todos os artefatos humanos, textos, ações comunicativas e comportamento contêm significado. Não apenas em razão do que são, mas principalmente em decorrência do que significam, sendo que a capacidade para compreender as expressões da vida tem suporte no ser humano, e não no método ou na objetividade. Para esse entendimento, é fundamental considerar a história, o contexto, as práticas sociais e suas respectivas expressões. A comunicação não mais reflete uma realidade, pelo contrário, ela é "formativa" no sentido de criar e representar o processo de organizar (PUTNAM; PHILLIPS; CHAPMAN, 1999, p. 396).

Sapir (apud ROMANI, 2007, p. 13) comenta sobre as interconexões que acabam por existir entre linguagem e cultura "na perspectiva de cultura como um sistema de comunicação". Barker (1993) entende que a cultura organizacional é flexível, maleável, não rígida, confinada a uma estrutura, ou seja, é uma formação fluida e dinâmica de possíveis significados, por meio do discurso, possibilitando a seus membros atribuir conhecimento. "Organizações alcançam reconhecimento comunicativamente" (PACANOWSKY; TRUJILLO, 1982, p. 122), sendo a comunicação um processo no qual "cada comportamento comunicativo é constituído de relacionamentos interpessoais" (TRUJILLO, 1983, p. 82).

De acordo com Marchiori (2006, p. 231), a cultura é interativa "na medida em que os indivíduos observam e interagem com o mundo e, por meio desse processo, podem simbolizar e atribuir significado". Pacanowsky e Trujillo (1982, p. 123) sugerem que as "pessoas ao conversarem estão se comunicando e construindo sua cultura", sendo a cultura "constituída e reconstituída em comunicação" (BANTZ, 1983, p. 60). Eisenberg e Riley (2001) comungam neste pensamento, uma vez que "a visão comunicativa de cultura organizacional acaba por ver comunicação como constituinte da cultura" (p. 294). Marchiori (2006a, p. 87) complementa: "é através da cultura e da comunicação que as pessoas dão sentido ao mundo em que vivem, atribuindo significado para as experiências organizacionais [...] o processo de cultura é a construção de significados". Fica claro, então, que as pessoas constroem sua cultura comunicativamente à medida que desenvolvem significados, símbolos e discursos para suas ações. Esse paradigma significa criar encontros e confrontos visando à reconstituição dos significados e à busca do consenso (BULGACOV; BULGACOV, 2007). Essa condição fundamenta-se nos estudos do interacionismo, das relações humanas, da cultura, da hermenêutica, da etnometodologia, entre outros. Pressupõe a realidade como objetivada pela experiência subjetiva individual, em que o mundo no qual as pessoas se comportam é produzido por elas próprias por meio das condições subjetivas.

As inúmeras experiências pelas quais os indivíduos perpassam no cotidiano organizacional trazem um novo sentido, construído e reconstruído nos processos interacionais. Interação é o confronto de ideias e interpretações, determinando o sentido, a orientação da ação (GRAMACCIA, 2001). Assume-se, portanto, a cada experiência um novo sentido, o qual é reconstruído pelas pessoas em seus processos interacionais. É na experiência do cotidiano, nas relações face a face, que se experimentam e se ajustam os repertórios (VIZEU, 2010), trazendo para aquele mundo a significação e a ressignificação. Miller (2005) enaltece a perspectiva da comunicação como uma atividade social.

Assim, a visão interpretativa possibilita conceber as organizações como sistemas de construção social de significados compartilhados (SMIRCICH, 1983, p. 221). O fenômeno social é definido pela construção de determinada realidade (BERGER; LUCKMAN, 1966) por meio de linguagem, símbolos e comportamentos que são expressos pelas pessoas nas organizações.

A teoria da construção social afirma que significado surge nos sistemas sociais e não nos indivíduos de uma sociedade (ALLEN, 2005, p. 35), considerando a linguagem um dos aspectos principais de seu desenvolvimento (SMIRCICH, 1983, p. 223). Westwood e Clegg (2003, p. 10) sugerem que a essência da construção social é uma preocupação com a experiência vivenciada e a produção de sentido para as pessoas nos contextos em que vivem, sendo o objeto de estudo a vida e os significados construídos pelas pessoas nos processos de interação. Marchiori (2006b), por sua vez, entende que as pessoas, ao agirem nas situações comunicacionais, modificam o significado da ação, pois buscam um novo estágio de desenvolvimento.

Percebe-se que a realidade é experimentada pelos membros. Nela os significados passam a ser constituídos, nos mais diferentes níveis organizacionais. Como destacado pelos autores (PUTNAM, 1983; JOHNSON, 1977), ao olharmos para uma organização como processo de construção social, vemos que "organizar torna-se um processo de comunicar" (PUTNAM, 1983, p. 53), sendo a perspectiva interpretativa uma evolução da funcionalista, graças à qual se infere que a visão da própria organização é ampliada, possibilitando o desenvolvimento de uma realidade mais equilibrada, na qual as pessoas não apenas se tornam membros ativos do processo, mas chegam a criá-lo. Dessa forma, "novas interpretações precisam ser construídas para sustentar a atividade organizada" (SMIRCICH, 1983, p. 221).

A realidade social é um processo simbólico resultante de ações e significados subjetivos a elas atribuídos (PUTNAM, 1983, p. 44). Tais ações possibilitam o relacionamento entre as pessoas, mediante o qual os indivíduos passam a interpretar a realidade diante desse pensamento mais coletivo que naturalmente se constrói por meio das interações sociais. Todas as formas da organização humana, embora aparentemente concretas e reais, são "fortalecidas e dotadas de sentido pelos seus membros" (SMIRCICH, 1983, p. 225). A mudança torna-se grande à medida que passa do estágio de gerenciamento e controle para o de observação de uma organização, no que se refere a "interpretação e conhecimento" (SMIRCICH, 1983, p. 225).

O estudo do significado surge como um aspecto-chave, ou seja, é "a maneira como indivíduos dão sentido ao mundo em que vivem" (PUTNAM, 1983 p. 31). Dar sentido às ações, *sensemaking* (WEICK, 1995), interpretar a comunicação verbal e não verbal como processo em continuo desenvolvimento (PUTNAM, 1983), como comportamentos interligados, criando e recriando interações, são questões que se impõem na metateoria interpretativa. Entendemos que os significados surgem nos processos de interação, não são únicos, e propiciam a criação e a recriação de eventos organizacionais. Essa visão pluralista acaba por revelar para os pesquisadores não apenas vários tratamentos da realidade da organização, mas a consistência de realidades múltiplas, uma vez que as pessoas passam a explorar práticas de *sensemaking* em todos os níveis da organização (PUTNAM, 1983). McAuley, Duberley e Johnson (2007, p. 290) entendem que "organizações são pluralistas, com diferentes caminhos para agir e se comportar". Organizações apresentam inúmeras formas de agir e de pensar, podendo-se inferir a existência de diversas interpretações de cultura.

Os pesquisadores interpretativos acabam por questionar a existência da organização, passando a tratar coletividade como resultado de processos nos quais seus membros constroem a realidade social (PUTNAM, 1983, p. 45). McAuley, Duberley e Johnson (2007, p. 39) ensinam: "a verdade pode estar presente, mas nós não temos conhecimento porque nós acabamos vendo pelos filtros [...] Esta base cultural, subjetiva e de processos dotados de sentido, cria a realidade para nós". Os autores lembram que o conhecimento humano dá forma a uma realidade socialmente construída, sendo as versões mutáveis em decorrência das circunstancias sociais em que são produzidas.

Para os teóricos da corrente interpretativista, estruturas são complexas, são relacionamentos semiautônomos que se originam das interações humanas. Há uma interação e uma visão de conjunto entre departamentos, que acabam por interferir nos comportamentos organizacionais, sendo que estrutura e processo coexistem. A participação dos indivíduos na criação de seus próprios ambientes é característica predominante, chegando a influenciar o ambiente e a realidade organizacional (PUTNAM, 1983, p. 36).

A cultura organizacional é vista como um sistema de significados e símbolos compartilhados (PUTNAM, 1983), e emerge das interações diárias entre as pessoas (McAULEY, DUBERLEY; JOHNSON, 2007), ou seja, é um conjunto de interações. O conteúdo da cultura organizacional se forma e é reafirmado precisamente nas relações diárias que ocorrem entre as pessoas, no nível de detalhamento dos processos sociais (YOUNG, 1989). Para Young (1989), os eventos e processos organizacionais são passiveis de interpretações múltiplas. Dessa forma, a cultura organizacional possui "propriedade emergente" (LINSTEAD; GRAFTON-SMALL, p. 336), em consequência do processo de construção de significado, a qual surge dos eventos organizacionais estimulados por diferentes grupos e interesses em busca de seus objetivos (YOUNG, 1989, p.190). Devemos ainda lembrar que as organizações são compostas por muitas culturas (McAULEY; DUBERLEY; JOHNSON, 2007).

As interpretações são analisadas por um processo dialógico, com seus atores e por meio de significados sociais consistentes e de práticas organizacionais (PUTNAM, 1983, p. 48). O pesquisador aceita a realidade sem questionar seu potencial.

Mumby (1988), além de abordar a comunicação como criação e manutenção dos sistemas simbólicos, também a interpreta (*reframing*) como uma "diferença" entre meio e produto das relações de poder que as pessoas comunicativamente constroem nas organizações (MUMBY, 2011). A diferença como prática discursiva é um processo socialmente construído, no qual a linguagem, o texto, a ação fluem, envolvem e são contestados (PUTNAM; JAHN; BAKER, 2011).

Assume-se, portanto, o entendimento da comunicação como um processo que constrói as realidades organizacionais, em uma perspectiva interpretativa, a qual não se constitui como transmissão de informações, mas sim como sistemas de construção social de significações por meio da linguagem, de símbolos e comportamentos, que são expressos pelas pessoas nos diversos ambientes organizacionais. Organizações são, nessa perspectiva, relacionamentos sociais (PUTNAM, 1983).

Esse modo de pensar a comunicação permite maior flexibilidade interpretativa da organização, da comunicação e do relacionamento (JIAN; SCHMISSEUR; FAIRHURST, 2008), o que move a visão da comunicação para a possibilidade de criar e mudar a realidade social (PUTNAM, 2008).

Da perspectiva interpretativa, nasce a visão crítica – a qual busca identificar a distorção que pode ocorrer na comunicação e procura liberar as pessoas da exploração, da alienação e das formas arbitrárias de autoridade (SCHROYER apud PUTNAM, 1983, p. 48) – próxima perspectiva a ser abordada.

Discutidas as metateorias funcionalista e interpretativa, sugere-se ao leitor observar a Quadro 1.1, no qual se relata uma visão de cultura debatida desde os anos 1980, que defende que, na escola positivista, a cultura é uma variável, algo que a organização tem; e na escola interpretativista, a cultura é uma metáfora, algo que a organização é. Esses posicionamentos são claros, aceitos e discutidos no campo acadêmico.

Perspectiva crítica

A teoria crítica busca revelar o ideológico subjacente às "estruturas, práticas e discursos que mascaram" (WESTWOOD; CLEGG, 2003, p. 10), preocupando-se com o desenvolvimento das organizações no sentido de preencher todas as potencialidades de seus membros, como seres humanos. Para isso, instiga as organizações a pensar na arquitetura organizacional, na liderança e na comunicação (McAULEY; DUBERLEY; JOHNSON, 2007), tendo como objetivo último a criação de espaços organizacionais de excelências capazes de estimular o desenvolvimento das pessoas.

Os teóricos críticos "rejeitam o positivismo" (McAULEY; DUBERLEY; JOHNSON, 2007, p. 36) e buscam a emancipação do fenômeno em estudo por meio da "crítica na ordem social" (PUTNAM, 1983, p. 53). O objetivo principal da pesquisa é a "mudança social" (DEETZ; KERSTEN, 1983, p. 149). Deetz e Kersten (1983, p. 149) referem-se à posição central que a teoria crítica assume no desenvolvimento da pesquisa em comunicação na medida em que apela de modo explícito para os "sistemas comunicativos".

Conflitos surgem e ressurgem dialeticamente, na medida em que as estruturas de poder acabam sendo reveladas e postas à prova, eventualmente sucumbindo ou se reforçando. Putnam (1983) explica que a supressão de conflitos é relacionada com o produto de identidade individual, conhecimento social e processo de decisão organizacional. Organizações, assim como suas estruturas e práticas, são consideradas criações históricas sociais alcançadas em condições de estrangulamento e, usualmente, em posições desiguais de relacionamento de poder (DEETZ, 2005, p. 94).

O interesse concentra-se nas lacunas que acabam por existir entre as reais necessidades humanas e o conhecimento e expressão dessas necessidades (DEETZ; KERSTEN, 1983, p. 152). A visão crítica considera a necessidade de maior equilíbrio nas organizações, pois parte do pressuposto de que há diferença, por exemplo, entre gestores e funcionários, sendo o ambiente organizacional caracterizado por "dominação" e "opressão" (DEETZ; KERSTEN, 1983). Para McAuley, Duberley e Johnson (2007), os teóricos críticos revelam estruturas de opressão e injustiça presentes no âmbito das organizações em sociedades capitalistas, e é fundamental possibilitar aos membros organizacionais o fortalecimento de seus direitos democráticos e responsabilidades.

A pesquisa crítica busca contribuir para a existência de uma comunicação organizacional livre e aberta, na qual sociedade e indivíduos alcancem objetivos coletivos. Fica clara a função questionadora da abordagem crítica, porquanto tem como enfoque "o papel da organização no potencial preenchimento das necessidades do ser humano" (DEETZ; KERSTEN, 1983, p. 155). Comunicação organizacional passa a ser mais ampla, não se restringindo a uma visão específica da organização, e sim ao contexto da sociedade como um todo, vindo tanto a organização como a sociedade a sofrer influências múltiplas.

De acordo com Vieira e Caldas (2006), a base da abordagem crítica tem como referência a impossibilidade de mostrar as coisas como realmente são, senão sob a perspectiva de como elas "deveriam ser". Nesse sentido, o "dever ser" refere-se às possibilidades não realizadas pelo mundo social. Não tem caráter utópico, mas analisa o que o mundo poderia ter de melhor se suas potencialidades se realizassem. A identificação dessas, por conseguinte, permite entender mais claramente como o mundo funciona e, dessa forma, detectar os obstáculos à sua realização. Assim, segundo os autores, a teoria crítica aponta para a prática a partir da realização desses potenciais, por meio da identificação e do rompimento dos obstáculos. É a teoria no ato. (Por ato, entenda-se aquele da realização dos potenciais do mundo cuja natureza é necessariamente emancipatória.) Para os teóricos críticos: aqueles que se dedicam apenas a descrever o mundo como ele é acabam por fazê-lo sempre de forma parcial e incompleta, pois abdicam de identificar o que ele poderia ser, ou seja, o que ele tem potencialmente de melhor. Isso nos remete à segunda parte de nossa reflexão: a origem da teoria crítica e seus desdobramentos contemporâneos.

Na perspectiva dialética, a realidade organizacional é o resultado de relações históricas e materiais, bem como entre condições materiais e fatores socialmente construídos (DEETZ; KERSTEN, 1983, p. 161). O desenvolvimento do potencial humano se dá por intermédio da participação e da criação de novas formas sociais, em decorrência de que o comprometimento com este objetivo direciona amplamente o processo de intervenção (DEETZ; KERSTEN, 1983, p. 171).

A "consciência crítica" (McAULEY, DUBERLEY; JOHNSON, 2007, p. 26) acaba por conceber novas formas de organizar, o que possibilita reduzir formalmente o poder das pessoas. Alvesson e Willmott (1996, p. 114) ressaltam que a abordagem crítica propicia uma abertura radical para o entendimento da vida organizacional, uma vez que sua prática apresenta potencial para promover novas formas de trabalho, as quais dão voz, promovem e ajudam as organizações na reflexão crítica e na conquista de maior autonomia. Sendo assim, por meio da crítica, da reflexão, do debate e do desenvolvimento de relações democráticas, o *status quo* pode sofrer alterações (McAULEY; DUBERLEY; JOHNSON, 2007, p. 26).

Para Bulgacov e Bulgacov (2007), o humanismo radical, enquanto parte da abordagem crítica e descrito por Burrell e Morgan (1994), significa denunciar e julgar a superestrutura dominadora do consciente ou do inconsciente humano. A formulação do problema refere-se a como as condições simbólicas são utilizadas pelas organizações. A questão consiste na emancipação do homem por meio da consciência autêntica das pessoas. A alienação, provocada pelo viés da subjetividade criada pelas superestruturas, impede as pessoas de ver e considerar alternativas de interpretação e articulação de si próprias e da sociedade, ou da organização a que servem. Pressupõe, assim, que a construção social está relacionada com uma patologia de consciência, com uma situação em que os atores encontram-se prisioneiros do mundo criado. A crítica principal está nos modos de alienação impostos pela vida das sociedades industrializadas. Infere-se, por conseguinte, que a consciência humana é dominada por superestruturas ideológicas, com base nas quais as pessoas interagem e interpretam o mundo.

Nesse sentido, o homem é um ser essencialmente alienado, que vive em constante movimento para superar a criação subjetiva na qual ele se situa. Tais superestruturas constituem uma barreira para o indivíduo, impedindo-o de ter consciência autêntica da realidade objetiva. Na medida em que a investigação científica visa compreender os mecanismos de atuação dessas superestruturas, a realidade é criada e sustentada socialmente. A atividade fundamental para o indivíduo é criticar o *status quo*, para se emancipar dessa falsa consciência. (Por emancipar-se, entenda-se lutar para que o outro não faça o que quer fazer ou o que está fazendo.) A ação é vista, portanto, como o único meio capaz de superar a alienação. A atitude emancipadora de um indivíduo faz parte da consciência que ele tem do que o outro faz dele. Pertencer, nessa projeção, quer dizer restringir a sua própria natureza e potencialidades. Nesse modelo, as organizações consistem em força imaginária de outro que afeta as pessoas. São, portanto, realidades socialmente criadas e sustentadas, constituindo uma superestrutura que domina os indivíduos pela imposição de uma territorialização sobre eles. Desenvolvimento, por sua vez, significa tomada de consciência do que o outro faz para mim, ou seja, a descoberta de potencialidades de existência (de ser) até então ocultas. Tal consciência é a base para a reconstrução do "eu" que o outro está fazendo.

A ideia de organizações mais democráticas é uma conquista da teoria crítica, sendo um dos aspectos cruciais criar, dentro desse contexto, sociedades e organizações que possibilitem que seus membros sejam "humanos", desenvolvendo todas os suas potenciais. (McAULEY; DUBERLEY; JOHNSON, 2007). Para isso, é fundamental direcionar-se para pesquisas que desvendem como grupos são formados e como se interceptam, e que revelem também as complexidades e variedades entre eles, olhando para os processos comunicacionais de cultivo de consenso e dissenso (DEETZ, 2005). A ênfase da organização recai sobre o aspecto político, sendo a comunicação livre e aberta sua condição essencial. Os estudos da cultura consideram as críticas e os discursos que se formam nos processos de reflexão, prevenindo distorções. Da visão crítica, apresenta-se a perspectiva pós-moderna, na qual flexibilidade e diferença demarcam a visão da comunicação, conforme proposto no Quadro 1.1.

Perspectiva pós-moderna

A perspectiva pós-moderna se baseia no pressuposto de que é necessário reconhecer que há diversas visões de qualquer situação e que se deve tentar descobrir diferentes perspectivas do que é arbitrado como certo em outras perspectivas. Taylor (2005, p. 113) diz: "pós-modernistas são comprometidos em explorar os complexos relacionamentos de poder, conhecimento e discurso criado no esforço entre grupos sociais".

Para Vieira e Caldas (2006), a abordagem pós-moderna adota como referência metodologias desconstrutivas. Os teóricos pós-modernistas em estudos organizacionais partiram para a crítica a elementos da modernidade que se enraizariam em pressupostos iluministas, frequentemente usando metodologia de análise de discursos e narrativas. Para esses autores, não apenas de análises desconstrutivas vive o pós-modernismo em estudos organizacionais. Esses teóricos também popularizaram o uso de metodologias de inspiração pós-estruturalista, especialmente as análises genealógicas e historiográficas; são exemplos, em análise organizacional, o trabalho que traça a genealogia do movimento da qualidade e relaciona práticas de qualidade total com o pan-óptico, os estudos que desenham a genealogia da função de RH e a compara com censos populacionais, normatizantes e familiarizados pelo costume. Vieira e Caldas (2006) apontam o trabalho de Calás e Smircich (1999), que sugerem, em análise de quase duas décadas da influência do movimento no campo, quatro vertentes teóricas que parecem ser as principais "herdeiras" do pós-modernismo em análise organizacional, e que nele ainda residem com forte potencial de extensão e contribuição: (1) teorias feministas (ou de gênero) pós-estruturalistas; (2) análises pós-colonialistas; (3) teoria ator-rede (*actor network theory*, também chamada de teoria da translação); além da (4) análise desconstrutiva de discursos e narrativas sobre conhecimento.

Hancock e Tyler (apud McAULEY; DUBERLEY; JOHNSON, 2007) apresentam ainda três proposições teóricas justificando a perspectiva pós-moderna, a saber: (1) não se pode presumir que não existe a razão pura; (2) a linguagem que utilizamos modela o que vemos e o que sentimos; e (3) não existe tal coisa como conhecimento puro. O poder da linguagem é ressaltado em inúmeras referências na perspectiva pós-moderna. McAuley, Duberley e Johnson (2007, p. 252) comentam: "o que vemos [...] significa que aquilo que tomamos como conhecimento é construído em e por meio da linguagem". Os autores consideram que o conhecimento não tem vantagem segura se for observado externamente aos processos sociolinguísticos. Dessa forma, linguagem e negociação social do significado assumem posição fundamental, uma vez que influenciam as percepções dos que estão envolvidos em diálogos organizacionais.

A visão que se tem da organização pós-moderna é a da descentralização da autoridade e dos relacionamentos nas unidades e entre elas, e de autonomia localizada no processo de decisão do empregado (TAYLOR, 2005, p. 118).

Talvez não propriamente caracterizável como uma perspectiva pós-moderna, o modelo de dinâmica da cultura de Hatch (1993) pode ser considerado uma síntese simbólico-interpretativa, construída do modelo de Schein (1985). Seus modelos se distinguem por dois pontos básicos: pela diferença na inclusão de símbolos como um dos elementos da dinâmica da cultura, em Hatch (1993), e pelo fato de os elementos da cultura serem o foco da análise, em Schein (1985), dando lugar aos processos que os interligam.

Do ponto de vista comunicacional, a contribuição de Hatch (1993) reside na força do argumento simbólico como vetor de engendramento das dinâmicas internas de uma organização. O símbolo atua como mediador entre *actants* (TAYLOR, 2007) e organização, como arena das dinâmicas comunicacionais de seus integrantes.

Retornando à perspectiva em análise, Taylor (2005, p. 119) revela de forma precisa as diferenças entre modernismo e pós-modernismo. Para o escopo deste capítulo, destacamos suas contribuições na compreensão dos aspectos que as organizações pós-modernas estimulam: o processo democrático informal, emergente e com base em consenso; o *empowerment,* que propicia o desenvolvimento da proatividade dos funcionários; os relacionamentos complexos nos quais funcionários cultivam educação, reflexividade e criatividade a serviço do desempenho organizacional; e diversidade e diferença, entre outras características.

Apesar das similaridades conceituais, com destaque para as preocupações sobre a ênfase no papel da comunicação organizacional para as instituições, deve-se ater às ponderações sobre a reflexão de Chia (2003), em que pós-moderno diz respeito a dar voz e legitimidade aos conhecimentos tácitos e pouco representados.

Linstead e Graftonm-Small (1992) entendem que a visão pós-moderna da cultura contribui para um movimento que permite visualizar a organização como articuladora de inúmeros "textos" e respectivas características. Um ambiente sem unidade sugere ironia, paradoxo, sedução e diferenças. Nesse sentido, ambiguidade, instabilidade e fluidez de significados são características da cultura, não havendo padrões fixos durante períodos distintos e, mais ou menos, duradouros.

O termo "discurso" é utilizado pelos teóricos pós-modernos quando se referem aos significados subjetivos pelos quais as pessoas organizam o que percebem. Discursos expressam tudo que pode ser pensado, escrito ou falado, sobre determinado fenômeno. McAuley, Duberley e Johnson (2007) demonstram que, pela criação de um fenômeno de linguagem, discursos acabam por influenciar o comportamento das pessoas. Para os autores, a partir do momento em que se alteram discursos, alguma realidade está sendo literalmente modificada.

De acordo com Ackroyd e Fleetwood (2000), o mundo social é fundamentalmente construído pelas pessoas, sendo produzido nos discursos. A linguagem que as pessoas utilizam "constitui a realidade, ao invés de representá-la" (McAULEY, DUBERLEY; JOHNSON, 2007, p. 248). A linguagem não é neutra; as palavras que as pessoas têm disponíveis dão forma à maneira como as situações são interpretadas, pois, conforme comentado pelos autores, não existe outra realidade fora da linguagem que utilizamos para descrevê-la. Aquilo que as pessoas entendem como realidade é, em si próprio, criado e determinado pelos atos de percepção subjetiva. "Nossa criação subjetiva é externalizada e percebida como se fosse independente de nós" (McAULEY; DUBERLEY; JOHNSON, 2007, p. 42). Nesse contexto de discurso, subjetividade ou identidade acabam sendo produzidas.

A cultura organizacional é essencialmente ambígua, sendo outros modelos de cultura tentativas de impor um padrão de ordem quando não existe ordem (McAULEY, DUBERLEY; JOHNSON, 2007). Nesse sentido, o pós-modernismo modifica a visão da cultura, pois existe um reconhecimento de múltiplas interpretações e uma complexidade de relações entre seus diferentes aspectos (McAULEY, DUBERLEY; JOHNSON, 2007), sendo um estimulante desafio o desenvolvimento de novas pesquisas e descobertas que possam ampliar as abordagens apresentadas no Quadro 1.1.

Sugere-se aprofundar os estudos nas metateorias crítica e pós-moderna, em que a pesquisa bibliográfica desenvolvida alude o entendimento da cultura como "algo que a organização faz" e a "organização surge como discurso", respectivamente. Essas visões são proposições que esse estudo apresenta para serem discutidas, criticadas e ampliadas. É fundamental entender o caráter inovador que a contemporaneidade traz para os estudos de cultura e da comunicação como processos imbricados (MARCHIORI, 2011). É justamente essa pluralidade de interpretações que faz do campo da cultura e da comunicação um desafio acadêmico.

Ressalta-se que os estudos da comunicação organizacional nos Estados Unidos tratam da perspectiva feminista, apresentada por Buzzanell e

Wilbur nessa obra. Ou seja, uma possibilidade de estudos de uma face da metateoria crítica, podendo existir inúmeras outras ainda não reveladas. A abordagem do ensaio do professor Stanley Deetz no início desta obra nos sugestiona ver a cultura como "constelações".

Reflexões e sugestões de estudos futuros

Ao se ponderar sobre as diferentes perspectivas de cultura e comunicação, pretende-se ampliar o quadro representativo das dinâmicas externas e internas das organizações. Tal visão pode vir a facilitar igualmente a compreensão dos processos de negociação social dos significados em que diferentes realidades podem servir como referência em seus condicionantes únicos ou coexistir. As abordagens funcionalista, interpretativa, crítica e pós-moderna relacionadas com a cultura e a comunicação organizacional podem evoluir no sentido de visualizar reflexivamente o desenvolvimento de novos estudos que estarão evidenciando muito mais a comunicação como processo de interação ou de desconstrução, mas, principalmente, um processo que capacita, que dinamiza, que possibilita à organização criar novos conhecimentos.

Os espaços organizacionais são permeados por relações comunicacionais, as quais possibilitam às pessoas não apenas o entendimento de seu cotidiano, mas principalmente a criação de processos que possam ultrapassar a base atual de conhecimento, emergindo, a partir daí, uma nova condição de vivência organizacional. Essa nova dinâmica organizacional nos leva a refletir que não mais se comunica uma realidade, e sim a constrói. Nesse sentido, as pessoas passam a não apenas entender, mas serem conscientes em tudo que criam. Tal visão condiz com a argumentação de McPhee e Zaug (2000, p. 3), na qual organização é um efeito da comunicação e não sua predecessora. O que podemos constatar nos ambientes organizacionais é uma interação comunicacional que possibilita à organização viver. Uma construção que se faz pelos discursos que se formam e se realizam nos ambientes organizacionais, sejam esses discursos funcionalistas, interpretativistas, dialéticos ou pós-modernos.

Bulgacov e Bulgacov (2007) destacam que a possibilidade dos estudos das diferentes perspectivas epistemológicas deve ser iniciada com base na premissa de que a organização contém diferentes faces e convive com diversas interpretações e significados; como observado neste capítulo, diferentes concepções que ofereçam explicações para a compreensão e comunicação da complexidade das questões organizacionais por meio de múltiplas lentes de análise (Quadro 1.1).

O uso de diversas abordagens em estudos metateóricos pode ser possível ao se demonstrar como estruturas conceituais distintas podem contribuir para a compreensão das diferentes condições e perspectivas organizacionais; principalmente quando as diferentes abordagens emergem sob a interpretação de incompatibilidade entre si por gestores e pesquisadores. Entende-se aqui, entretanto, que o uso das diferentes concepções de cultura e comunicação pode ilustrar possibilidades de busca de soluções no desenvolvimento de estudos que combinam funções, métodos, conceitos e interpretações. Dessa forma, observa-se que nem todas as perspectivas podem ser utilizadas para abordar qualquer tópico ou problema, mas sugerem maior clareza e perspectiva para a análise organizacional e, assim, permitir a compreensão da linguagem e das práticas de muitas comunidades de profissionais e acadêmicos. Dessa condição, é possível surgir habilidades de análise por meio da vivência variada no estudo das organizações e a ampliação dos conceitos.

Sugere-se o desenvolvimento de estudos que possam revelar como essas diferentes faces se manifestam empiricamente, uma vez que esse capítulo não explora questões fundamentais acerca dos processos de criação e consolidação dessas metateorias nos estudos organizacionais. O estudo desenvolvido revela, por meio da extensa pesquisa bibliográfica, as possibilidades de se observar manifestações desse fenômeno e sua importância em relação aos indivíduos, à visão organizacional e, consequentemente, à realidade social que emerge nos ambientes funcionalista, interpretativista, crítico e pós-moderno. Somam-se a essas manifestações a visão comunicacional, sua essência, o processo que emerge, o foco do estudo, estilos de comunicação, conteúdo, significado, o tipo de pesquisa, assim como as características da liderança e da própria cultura em uma das metateorias. Afinal, flexibiliza-se o entendimento da realidade organizacional, entendendo que uma organização é a expressão de "culturas", uma vez que não há uma visão mais correta que a outra, e sim a que faz sentido na determinada experiência que aquela área da organização perpassa em seu processo de construção da realidade. Sugere-se, portanto, questionar essas metateorias nas características aqui apresentadas, podendo servir de inspiração para análises das relações entre comunicação e cultura nos estudos organizacionais.

No decorrer das diversas situações organizacionais em que cultura e comunicação se defrontam, as diferentes perspectivas podem servir como referência, cada uma a seu modo ou interligada às várias faces das questões organizacionais. Todavia, não simplesmente determinando a ação, pois esta deve levar em conta os elementos históricos, culturais e funcionais presentes e com incidências previstas. As perspectivas estão, entretanto, sujeitas a um conjunto de decisões que não são de responsabilidade apenas de uma pessoa, mas requer a conjunção de toda a organização para a construção de sua perspectiva específica. Assim, entende-se que as diferentes perspectivas, dentro de seus limites, servem para interpretar, analisar e intervir na realidade, a qual, por meio dessas, tenta se explicar utilizando a comunicação. Acentua-se, nessa visão, o caráter instrumental aplicado às interpretações dos fenômenos organizacionais. Desse modo, cada uma delas pode contribuir para explicar o contexto e integrar as pessoas no plano socioeconômico. Por outro lado, é importante destacar que o uso de cada uma das perspectivas de modo isolado, ou em seu conjunto, não deve se opor à aprendizagem, à cultura, ao ensino e ao desenvolvimento. Não ignorando suas vinculações, mas as integrando em explicações articuladas e conscientes mediante sua adequada contextualização.

Referências

ACKROYD, S.; FLEETWOOD, S. *Realist perspectives on management and organizations*. Londres: Routlegde, 2000.

ALLEN, B. H. Social constructionism. In: May, S.; Mumbry, D. (ed.). *Engaging organizational communication theory & research*: multiple perspectives. Beverly Hills: Sage, 2005. p. 35-54.

ALVESSON, M.; WILLMOTT, H. C. *Making sense of management*: a critical introduction. Londres: Sage, 1996.

BARKER, J. R. *The discipline of teamwork:* participation and concertive control. Beverly Hills: Sage, 1993.

BANTZ, C. Naturalistic research traditions. In: PUTNAM, L. L.; PACANOWSKY, M. E. (ed.). *Communication and organizations*: an interpretive approach. Beverly Hills: Sage, 1983. p. 55-71.

BENNIS, W. *Organization development*: its nature, origins and prospects. Massachusetts: Addison-Wesley, 1969.

BERGER, P. L.; LUCKMAN, T. *The social construction of reality*: a treatise it's the sociology of knowledge. Garden City, NY: Anchor, 1966.

BLIKSTEIN, I.; ALVES, M.; GOMES, M. Nota técnica: os estudos organizacionais e a comunicação no Brasil. In: CLEGG, S.; HARDY, C.; NORD, W. (eds.). *Handbook de estudos organizacionais.* São Paulo: Atlas, 2004. p. 126-130, v. 2.

BORMANN, E. G. Symbolic convergence: organizational communication and culture. In: PUTNAM, L. L.; PACANOWSKY, M. E. (ed.) *Communication and organizations*: an interpretive approach. Beverly Hills: Sage, 1983. p. 99-122.

BRUMMANS, B. H. J. M.; PUTNAM, L. L. New directions in organizational culture research. *Organization,* v. 10, n. 3, p. 640-644, 2003.

BULGACOV, S.; BULGACOV, Y. A construção dos significados nas organizações. *Revista Administração Faces,* v. 6, n. 3, p. 81-89, 2007.

BURRELL, G.; MORGAN, G. *Sociological paradigms and organizational analysis*. Reino Unido: Arena, 1994.

CALÁS, M. B.; SMIRCICH, L. Past postmodernism? Reflections and tentative directions. *Academy of Management Review, v.* 24, n. 4, p. 649-71, 1999.

CHAN, R. Instantiative versus entitative culture: the case for culture as process. In: WESTWOOD, R.; CLEGG, S. *Debating organization*: point-counterpoint in organization studies. Oxford, RU: Blackwell, 2003. p. 311-320.

CHENEY, G.; LAIR, D. Theorizing about rhetoric and organizations: classical, interpretive, and critical aspects. In: MAY, S.; MUMBY, D. (ed.). *Engaging organizational communication theory & research*: multiple perspectives. Beverly Hills: Sage, 2005. p. 55-84.

CHIA, R. Organization theory as a postmodern science. In: TSOUKAS, H.; KNUDSEN, C. *The Oxford Handbook of organization theory:* meta-theoretical perspectives. Oxford: The Oxford University Press, 2003. p. 113-140.

CONQUERGOOD, S. Rethinking ethnography: towards a critical cultural politics. *Communication Monographs,* v. 58, p. 179-194, 1991.

CONNERTON, P. Introduction. In: CONNERTON, P. (ed.) *Critical sociology*: selected readings. Harmondsworth, NY: Penguin, 1976.

CRAIG, R. Communication theory as a field. *Communication Theory, v.* 9, p. 119-161, 1999.

DEETZ, S. Critical theory. In: MAY, S.; MUMBY, D. (ed.). *Engaging organizational communication theory & research*: multiple perspectives. Beverly Hills, CA: Sage, 2005. p. 85-111.

_______________. Building a communication perspective in organization studies I: *foundations.* Proceedings from Speech Communication Association, Chicago, IL, October 1992.

DEETZ, S.; KERSTEN, A. Critical models of interpretive research. In: PUTNAM, L. L.; PACANOWSKY, M. E. (ed). *Communication and organizations*: an interpretive approach. Beverly Hills, CA: Sage, 1983. p. 147-172.

EISENBERG, E.; RILEY, P. Organizational culture. In: JABLIN, F.; PUTNAM, L. L. (eds.). *The new handbook of organizational communication*: advances in theory, research, and methods. Thousand Oaks, CA: Sage, 2001. p. 291-322.

FAUSTO, A. N. Comunicação das organizações: da vigilância aos pontos de fuga. In: OLIVEIRA, I. L.; SOARES, A. T. N. (orgs.). *Interfaces e tendências da comunicação no contexto das organizações*. São Caetano do Sul: Difusão, 2008. p. 39-64.

GRAMMACIA, G. *Les actes de langage dans les organisations*. Paris: L'Harmattan, 2001.

HATCH, M. J. The dynamic of organization culture. *Academic Management Review*, v. 18, n. 4, p. 657-669, 1993.

HATCH, M. J.; CUNLIFFE, A. *Organization theory*: modern, symbolic and postmodern perspectives. Nova York: Oxford, 2006.

JACQUES, E. *The changing culture of a factory*: a study of authority and participation in an industrial setting. Londres: Tavistock, 1951.

JELENIK, M.; SMIRCICH, L.; HIRSCH, P. (eds.). Organizational culture. *Administrative Science Quarterly,* v. 28, n. 3, p. 331-338, 1983.

JOHNSON, H. R. *Communication*: the process of organizing. Boston, MA: Allyn and Bacon, 1981.

JIAN, G.; SCHMISSEUR, A. M.; Fairhurst, G. T. Discourse and communication: the progeny of proteus. *Discourse and Communication Journal,* v. 2, n. 3, p. 299-320, 2008.

HANCOCK, P.; TYLER, M. *Work, postmodernism and organization:* a critical introduction. Thousand Oaks: Sage Publications, 2001.

KATZ, D.; KAHN, R. L. *The social psychology of organizations*. 2. ed. Nova York: John Wiley, 1978.

KUHN, T.; ASHCRAFT, K. L. Corporate scandal and the theory of the firm: formulating the contributions of organizational communication studies. *Management Communication Quarterly*, v. 17, p. 20-57, 2003.

LINSTEAD, S.; Grafton-Small, R. On reading organizational culture. *Organization Studies,* v. 13, n. 3, p. 331-355, 1992.

MARCHIORI, M. *Cultura e comunicação organizacional*. São Caetano do Sul, SP: Difusão, 2006a.

______________. Cultura e comunicação organizacional: uma perspectiva abrangente e inovadora na proposta de inter-relacionamento organizacional. In: ______________ (org.). *Faces da cultura e da comunicação organizacional*. São Caetano do Sul, SP: Difusão, 2006b. p. 77-94. (Série Comunicação Organizacional)

______________. ¿Por qué hoy en día precisamos cultura organizacional? Una perspectiva de comunicación única en el área posmoderna. *Diálogos de la Comunicación,* v. 78, p. 2-19, 2009.

______________. Imbricating Organizational Culture and Communication: a Brazilian Case Study. Proceedings from 61th ICA Conference, Boston, EUA, 2011.

MARTIN, J. *Cultures in organizations*. Oxford: Oxford University Press, 1992.

___________. *Organizational culture*: mapping the terrain. Thousand Oaks, CA: Sage, 2002.

___________. Meta-theoretical controversies in studying organizational culture. In: TSOUKAS, H.; KNUDSEN, C. *The Oxford Handbook of organization theory:* meta-theoretical perspectives. Oxford: The Oxford University Press, 2005. p. 392-422.

MAY, S.; MUMBY, D. (eds.) *Engaging organizational communication theory & research:* multiple perspectives. Beverly Hills, CA: Sage, 2005.

MEYERSON, D.; MARTIN, J. Cultural change: an integration of three different views. *Journal of Management Studies,* v. 24, p. 623-647, 1987.

MEYER, J.; ROWEN, B. Institutionalized organizations: formal structure as myth and ceremony. *American Journal of Sociology*, v. 83, p. 340-363, 1977.

MCAULEY, J.; DUBERLEY, J.; JOHNSON, P. *Organization theory*: challenges and perspectives. Harlow: Pearson Education, 2007.

MCPHEE, R.; ZAUG, P. Communication as a constitutive process in organizing and organizations. *Electronic Journal of Communication,* v. 10, n. 1; 2, 2000.

MILLER, K. *Communication theories*: perspectives, processes, and contexts. Nova York: Mc-Graw-Hill, 2005.

______________. Communication as constructive. In: Sphepherd, G. J.; John, J. St.; Striphas, T. (eds.). *Communication as... perspectives on theory*. Thousand Oaks, CA: Sage, 2006. p. 31-37.

MUMBY, D. K. *Communication and power in organizations*: discourse, ideology, and domination. Norwood, NJ: Ablex, 1988.

______________ (ed.) *Reframing difference in organizational communication studies*: research, pedagogy, practice. Thousand Oaks, CA: Sage, 2011.

PACANOWSKY, M. E.; TRUJILLO, O'D. N. Communication and organizational cultures. *Western Journal of Speech Communication,* v. 46, p. 115-130, 1982.

PEPPER, G. L. *Communication in organizations*: a cultural approach. Nova York, NY: Longman, 1990.

PETTIGREW, A. M. On studying organizational cultures. *Administrative Science Quarterly,* v. 24, p. 570-581, 1979.

________________. A cultura das organizações é administrável? In: FLEURY, M. T. L.; Fischer, R. M. *Cultura e poder nas organizações*. São Paulo, SP: Atlas, 1996. p. 145-153.

PUTNAM, L. L. The interpretive perspective: an alternative to functionalism. In: PUTNAM, L. L.; PACANOWSKY, M. E. (eds.). *Communication and organizations*: an interpretive approach. Beverly Hills, CA: Sage, 1983. p. 31-54.

PUTNAM, L. L.; CASALI, A. A Brazilian Story on the Development of Organizational Communication. *Management Communication Quarterly*, v. 22, p. 642-647, 2009.

PUTNAM, L. L.; JAHN, J.; BAKER, J. S. Intersecting difference: a dialectical perspective. In: MUMBY, D. *Reframing difference in organizational communication studies*: research, pedagogy, practice. Thousand Oaks, CA: Sage, 2011. p. 31-53.

PUTNAM, L. L.; PHILLIPS, N.; CHAPMAN, P. Metaphors of communication and organization. In: CLEGG, S. R.; HARDY, C.; NORD, W. R. (eds.). *Managing organizations*: current issues. Londres: Sage, 1999. p. 375-402.

PUTNAM, L. L.; PACANOWSKY, M. E. (eds.). *Communication and organizations*: an interpretive approach. Beverly Hills, CA: Sage, 1983.

RITZER, G. *Metatheorizing in sociology*. Lexington, MA: Lexington Books, 1991.

ROMANI, L. How we talk about culture. Overview of the field of culture and management. In: *Academy of Management*. Filadélfia, Pensilvânia, 2007.

SCHEIN, E. *Organizational culture and leadership*. São Francisco: Jossey-Bass, 1985.

_____________. *Cultura organizacional e liderança*. São Paulo: Atlas, 2009.

SCHROYER, T. *The critique of domination:* the origin and development of critical theory. Boston: Beacon, 1975.

SMIRCICH, L. Implications for management theory. In: PUTNAM, L. L.; PACANOWSKY, M. E. (eds.). *Communication and organizations*: an interpretive approach. Beverly Hills, CA: Sage, 1983. p. 221-241.

SWENSON, D. L. On the use of symbolist insight in the study of political communication. *Human Communication Research,* v. 8, p. 379-382, 1982.

TAYLOR, B. Postmodern theory. In: MAY, S.; MUMBY, D. (eds.). *Engaging organizational communication theory & research:* multiple perspectives. Beverly Hills, CA: Sage, 2005. p. 113-140.

TAYLOR, J. *Social topology and communication:* toward a redefinition of technological innovation in organizations. Proceedings from The Annual Meeting of International Communication Association, São Francisco, CA, 2007.

TRETHEWEY, A. Organizational culture. In: BYERS, P. Y. (ed.). *Organizational communication*: theory and behavior. Needham Heights, MA: Allyn and Bacon, 1997. p. 203-324.

TRUJILLO, N. "Performing" Mintzberg's roles. The nature of managerial communication. In: PUTNAM, L. L.; PACANOWSKY, M. E. (eds.). *Communication and organizations*: an interpretive approach. Beverly Hills, CA: Sage, 1983. p. 73-97.

VIEIRA, M. M. F.; CALDAS, M. P. Teoria Crítica e Pós-Modernismo: principais alternativas à hegemonia funcionalista. São Paulo, *Revista de Administração de Empresas RAE*, v. 46, n. 1, p. 59-70, 2006.

VIZEU, F. Poder, conflito e distorção comunicativa nas organizações contemporâneas. In: MARCHIORI, M. (org.). *Comunicação e organização*: reflexões, processos e práticas. São Caetano do Sul, Brasil: Difusão, 2010. p. 251-268.

WEICK, K. *Sensemaking in organizations*. Thousand Oaks, CA: Sage, 1995.

WESTWOOD, R.; CLEGG, S. *Debating organization*: point-counterpoint in organization studies. Oxford: Blackwell, 2003.

YOUNG, E. On the naming of the rose: interests and multiple meanings as elements of organizational culture. *Organization Studies,* v. 10, n. 2, p. 187-206, 1989.

INTERPRETATIVISMO, COMUNICAÇÃO E ORGANIZAÇÃO: CONSIDERAÇÕES RELATIVAS A REFLEXIVIDADE, CULTURA E IDENTIDADE

George Cheney
Sasha Grant
James Hedges

Fluxo e trajetória da pesquisa interpretativa

Este capítulo considera as recentes discussões da pesquisa interpretativa na comunicação organizacional (CORNELISSEN, 2006; COOREN, 2000; HATCH; YANOW, 2003; TAYLOR; VAN EVERY, 2000), prolongando a linha de discussão presente no texto de Cheney (2000), em que o espírito e o método da interpretação foram destinados à pesquisa interpretativa em si. Especialmente, consideramos como os esforços da pesquisa interpretativa recente (e em conjunto, porém em menor escala, a pesquisa explicitamente crítica e empírica) têm avançado para constituir na ação o tema de *Verstehen*, de Weber (1978): no que se refere à compreensão autorreflexiva da pesquisa e a todas as partes associadas ao processo. Exemplos da escola atual de comunicação organizacional serão elucidados incluindo instâncias em que a epistemologia aparece em primeiro plano ou no plano de fundo, embora sempre relevante. Mais especificamente, nos atemos a duas áreas de pesquisa predominantes e inter-relacionadas por meio de ilustrações profícuas: cultura organizacional e identidade organizacional.

Metáforas inter-relacionadas e pontos de referência da cultura e da identidade

Consideramos, paralelamente, dois conceitos pivôs na pesquisa de comunicação organizacional: *cultura e identidade* (ALBERT; WHETTEN, 1985; CHENEY, 1983; CHRISTENSEN; CHENEY, 2001; HATCH; SCHULTZ, 2002; SMIRCICH, 1983). Embora cada conceito-chave tenha sido examinado por uma diversidade de perspectivas epistemológicas, a interpretativa é a que tem dominado as considerações de cada um deles. Cada termo tem ressonância significativa e é de fato uma união de significados na sociedade como um todo; cada um tem sido explorado intensivamente na pesquisa organizacional e da área de comunicação, juntamente com o trabalho desenvolvido em muitas outras disciplinas. Além disso, cada termo e cada conceito, ao lado da racionalidade, de redes e poder, representam um centro de gravidade nos entendimentos contemporâneos das organizações.

A cultura permanece como a metáfora principal dominante na pesquisa organizacional, talvez em contraste com a metáfora principal dominante da máquina na prática organizacional cotidiana. A pesquisa cultural na comunicação organizacional e nos estudos organizacionais, contudo, tem estado em contato com os estudos de identidade e tem se sobreposto a eles. Isso acontece porque os próprios estudos de identidade/identificação organizacional têm se ampliado no sentido de abordar múltiplos níveis de análise e expressões coletivas, bem como expressões individuais de identidade (com estruturas intermediárias e recursos de identidade, tal como o grupo, entre elas). Assim, como pontos de referência nas pesquisas e na vida cotidiana, a cultura e a identidade devem ser consideradas, até certo ponto, em conjunto. Como a cultura foi primeiramente oferecida no início dos anos 1980 como uma forma de capturar a totalidade de uma experiência organizacional, é importante destacar que a identidade tem sido tratada há mais de cem anos no "Ocidente" (FOUCAULT, 1984), especialmente em relação à referência de terminologia-chave que aponta para o "eu" individual e depois, por extensão, a "pessoa" legal da organização (CHENEY, 1991; RITZ, 1970). Agora nos reportamos a exemplares específicos de pesquisa para demonstrar algumas das formas pelas quais a cultura e a identidade se entrelaçam, e podem ser reinterpretadas no contexto das próprias investigações de pesquisas.

Pontos de virada na pesquisa interpretativa sobre cultura e identidade organizacional

Especificamente no cerne deste texto, almejamos elucidar os méritos da pesquisa *longitudinal* da comunicação organizacional (apud WEICK, 1981), e os momentos-chave, viradas e transformações que investigações de longo prazo sobre cultura e identidade organizacional na área de comunicação podem oferecer. Enfatizamos três investigações nossas de longo prazo, com cada uma delas implicando um grau diferente de observação participante como um componente do trabalho, e cada uma delas envolvendo mudanças de direção da pesquisa em si como resultado da imersão na organização. É importante mencionar que cada estudo envolveu um foco em questões de identidade e ainda um encontro necessário com a cultura organizacional. Estes estudos incluem um de cada dos autores, a saber: o estudo intensivo da irmandade mundial de Alcoólicos Anônimos (A.A.), de Hedge (2008); a pesquisa retrospectiva e atual de Grant (2004), sobre a The Body Shop® e sua fundadora, Anita Roddick; e o estudo de caso episódico de Cheney (1999), nas cooperativas de trabalho de Mondragón no País Basco, na Espanha. Nas páginas seguintes, delinearemos essas investigações, com atenção especial aos conceitos de cultura e identidade e ao modo como as viradas nessas investigações tiveram qualidades recursivas importantes no que se refere à interação entre a pesquisa e os participantes, e ao planejamento das fases subsequentes do trabalho.

Em cada um dos três projetos aqui mencionados, foram utilizados múltiplos métodos, incluindo análise textual, entrevistas e observação (em diferentes graus). Também, em cada caso, foi solicitado aos participantes, bem como aos pesquisadores, que refletissem sobre os principais documentos, os episódios interativos e eventos maiores. Assim, a parte importante de tal pesquisa interpretativa multimétodo de longo prazo não é simplesmente fazer comparações no decorrer do tempo, mas também modificar as metodologias interpretativas para se adequar a novos contextos. Esse aspecto recursivo da pesquisa é especialmente importante no que diz respeito aos conceitos inter-relacionados de cultura e identidade.

A epistemologia interpretativa reconhece que qualquer interpretação é, inevitavelmente, um produto de perspectiva (LITTLEJOHN; FOSS, 2008). Com base nesse ponto de vista geral, Grant (2004) argumentou que o caso pedia uma abordagem narrativa multinível para estudar tanto a identidade pessoal como a identidade organizacional e relacionar ambas com níveis de cultura. Essa abordagem incluiu a narrativa pessoal de Anita Roddick, a oficial da The Body Shop®, a narrativa formal, o uso da linguagem autoconsciente por Anita Roddick e a The Body Shop® ao contar e recontar a história da organização, mais a narração do próprio Grant sobre o assunto. Grant utilizou esse caso longitudinal para demonstrar como as construções da cultura e da identidade, que caracterizam as organizações, são complexas e fluidas, geralmente contendo inconsistências e incongruências.

Exemplo de caso 1 – Um estudo de caso longitudinal de Anita Roddick e da The Body Shop®: lições para a interação das identidades organizacionais e dos ambientes culturais-organizacionais

A pesquisa de Grant (2004) examinou como a identidade da The Body Shop® Internacional, PLC, uma organização baseada em valores, foi criada por sua carismática fundadora, Anita Roddick, que se tornou a personificação da identidade da organização e uma líder do movimento de responsabilidade social corporativa em nível global. A pesquisa começou, e continua, com uma motivação pessoal forte de Grant em apoiar negócios com conscientização social e com sua grande admiração por Roddick.

Um dos aspectos mais interessantes do estudo foi sua ilustração sobre como a identidade é contestada e negociada por meio de interações iterativas entre vários *stakeholders* durante um período de 36 anos. A abordagem interpretativa nessa análise ilustrou a influência de *contextos culturais* na identidade organizacional. A assertiva de Czarniawska (1997) de que as organizações estão sempre engajadas em conversações, as quais, por sua vez, moldam sua identidade, traz à tona o fato de que organizações baseadas em valores deveriam estar atentas às condições sociopolíticas, econômicas e culturais que impactam suas práticas de negócio estruturadas socialmente. Tais condições podem tanto reforçar como ameaçar identidades que estão em processo de evolução ou até mesmo identidades assertivas, como demonstrado no estudo de caso da The Body Shop®. Diálogos contínuos com os principais *stakeholders* são cruciais para determinar a eficácia das mensagens de identidade. Como Christensen e Cheney (2000) sugerem, se as organizações estiverem empenhadas demais em contar suas próprias histórias, elas podem perder de vista a sua influência na cocriação do "ambiente", podendo ficar perdidas em sua própria narrativa pessoal. Assim, a autorreflexividade organizacional (CHRISTENSEN; CHENEY, 2000) é importante se as organizações baseadas em valores evitarem um sistema de comunicação fechado e, também, o cinismo associado a uma narrativa de identidade continuamente autoabsorvida.

O mesmo estudo também demonstrou como, nesse caso, a identidade corporativa da The Body Shop® foi construída para refletir a identidade pessoal de Roddick. Apenas quando Roddick abandonou a liderança da organização, em 1998, foi que a narrativa de identidade da The Body Shop® começou a ficar sem sua coerência. Na verdade, Grant (2004) reconhece que o estudo de caso longitudinal examinou a construção da identidade não sob a representação da mídia e/ou a negociação daquela identidade, mas sob a perspectiva da Roddick, a fundadora da organização. Roddick manteve o controle centralizado da comunicação da The Body Shop®, e sua influência resultou em um discurso poderoso voltado-para-valores que enfatizava o ambiente, os direitos das mulheres, os direitos dos animais, a justiça social e que moldou a identidade baseada em valores da organização.

As viradas recentes na experiência organizacional da The Body Shop®, tais como a venda da organização baseada em valores para a L'Oreal®, em 2006, bem como a morte inesperada de sua fundadora em 2007, levaram a pesquisa de Grant a tomar um rumo em direção a acessar e a interpretar os significados dos **membros** à luz de tais tensões de identidade. A abordagem interpretativa é bem apropriada para compreender como os funcionários **negociam** suas identidades pessoais e organizacionais dentro da instituição, por meio de atividades interativas de *sensemaking*, incluindo as do pesquisador (CZARNIAWSKA; WOLF, 1998; HATCH; YANOW, 2008). Estava evidente que as tensões relacionadas com a identidade causavam conflito e ansiedade nos aspectos individual e organizacional. À medida que os funcionários reconciliavam essas tensões, eles se alinhavam com um grupo de valores para evitar o sentimento de confusão, vulnerabilidade e desconexão cultural da organização. Consequentemente, enquanto alguns sugerem que uma **identidade de um legado** possa se tornar fraca e difusa, particularmente tendo em vista que novas gerações não compartilham as mesmas experiências organizacionais da primeira geração de empregados (WEICK, 1995; WEICK, SUTCLIFFE; OBSTFELD, 2005), a pesquisa atual de Grant revelou que a maioria dos empregados atuais da The Body Shop® em diversas lojas do Texas se identificava fortemente com a The Body Shop®, em parte por causa de um resultado de interações desses empregados identificados e clientes.

Em suma, no que diz respeito à investigação de longo prazo da cultura e identidade organizacional, podemos perceber a influência da liderança carismática, viabilizando de certa forma possíveis mudanças, contradições e transformações.

Exemplo de caso 2 – Dimensões/tensões da reflexividade em um estudo de caso da Alcoólicos Anônimos (A.A.) e sua dinâmica no que se refere a identidades individuais-organizacionais e cultura

Em seu estudo sobre a Alcoólicos Anônimos (A.A.), Hedge (2008) examinou como os alcoólicos transformaram suas identidades de alcoólicos para alcoólicos em recuperação em uma reunião da A.A. em Salt Lake City, no estado norte-americano de Utah, de 2004 a 2008. Como um membro dessa organização desde 1997, ele se encontrou na posição que Jackson (1995) denomina *betwixt and between* (entre) no papel de membro/pesquisador. Por um lado, isso permitiu que ele tivesse acesso a uma compreensão mais aprofundada das tensões inerentes que os alcoólicos encaram em suas tentativas de recuperação; por outro lado, essa pesquisa foi um grande desafio para ele, no que se refere a seu distanciamento como pesquisador do fenômeno pesquisado e, com isso, ter que representar, de forma acurada, os significados compartilhados dos alcoólicos sem os comprometer. Essa tensão dialética resultou na sua prática em se engajar na "reflexividade perpétua" e modificou sua abordagem para essa pesquisa de duas formas muito importantes.

» Primeiro, fora do contexto de sua pesquisa (2008), Hedge estava vigilante para assumir reflexivamente a influência sobre outros membros para reconhecer a "crise de representação": a influência da ontologia do pesquisador, bem como da epistemologia baseada na construção de conhecimento (para ver alguns exemplos, consulte ADLER; ADLER, 1998). Todavia, o que ele descobriu ao longo de seu estudo de longo prazo foi que membros dessa organização eram excepcionalmente "conhecedores de si mesmos" e, na verdade, engajados em um tipo semelhante de reflexividade que ele desempenhou como pesquisador. Um membro do grupo, por exemplo, discutiu abertamente sua dificuldade em praticar o princípio de gratidão da organização (isto é, ser grato por ser um alcoólico e ter autoconhecimento da própria doença). Esse caso foi representativo da autorreflexão constante exigida para mudar em alinhamento com os preceitos organizacionais. Isso significa que a própria expressão de "reflexividade" pode ser um momento ou um processo crítico sobre como os membros compreendem e, na verdade, modificam suas identidades (organizacionais) – tudo dentro do tradicional, porém, de certa forma, no dinâmico contexto cultural da organização.

» Segundo, dentro do espírito da busca dos estudiosos de comunicação organizacional por uma base epistemológica comum (CHENEY, 2000; MILLER, 2000; MUMBY, 2000), a pesquisa de Hedge (2008) exigia que ele ampliasse sua perspectiva ao se comprometer com a observação participante na A.A. Em outras palavras, ele precisava estar simultaneamente conectado e desconectado como membro/pesquisador. De forma alinhada com a pesquisa "pós-positivista", era necessário manter certo nível de objetividade e assumir uma "instância de sacada" (STONER; PERKINS, 2005). Contudo, ele também precisava recorrer a sua própria experiência como membro, para articular os significados compartilhados do grupo (EASTLAND, 1993; KONDO, 1990). Praticar essa atitude autorreflexiva o forçou a utilizar lentes mais críticas em suas observações e achados durante seu estudo. Isso o forçou a resistir à tentação de reificar as categorias como membro/pesquisador e transitar entre os papéis com fluência. Essa tensão constante não somente desafiou seus próprios valores, as crenças e os pressupostos que o constituíam/posicionavam como pesquisador e participante, **mas também se tornou uma forma de trabalho emocional e trabalho de identidade** (ALVESSON, 1994; HOCHSCHILD, 1983). Assim, enquanto a reflexividade pode ser obrigatória em casos como esse, ela também pode envolver a identidade pessoal e profissional do pesquisador, de tal forma que os pesquisadores interpretativos não tenham reconhecido e explicado explicitamente no passado.

Papéis, interações e posições do sujeito, portanto, desempenham um papel na negociação com a identidade formal, tradicional da organização e suas culturas internas e externas.

Exemplo de caso 3 – continuidades e rupturas no estudo da identidade e cultura nas cooperativas de Mondragón

A série de estudos de Cheney (1995, 1997, 1999, 2001, 2002, 2006) sobre as cooperativas governadas pelos próprios trabalhadores de Mondragón no País Basco, na Espanha, começou com uma questão simples, mas resistente: qual era o potencial a longo prazo para a manutenção dos valores essenciais – igualdade, participação, e solidariedade – durante o crescimento, expansão e encontros globais das cooperativas, particularmente em torno de/desde 1992, quando a unificação substantiva do mercado europeu ocorreu? Essa pergunta complementa a questão financeira sobre a viabilidade absoluta dessa corporação e desse conjunto de empresas organizadas democraticamente. O sistema de cooperativas, que foi fundado em 1956, concentrava-se no setor industrial, e, agora, representa, sob a forma da Corporação Cooperativa Mondragón, a sétima maior empresa privada na Espanha. As cooperativas têm uma estrutura elaborada de governança dual que tem sido estudada e até certo ponto adotada em muitas localidades ao redor do mundo. As cooperativas e seus resultados têm sido analisados por antropólogos, economistas, sociólogos e estudiosos de gestão.

Nas investigações de Cheney (1999) centradas na comunicação, padrões estruturais de discurso, bem como interpretações individuais são evidenciados, particularmente em respeito a como valores-chave, tais como "participação", modificaram-se em seus significados predominantes ao longo do tempo. Até metade dos anos 1990, por exemplo, a participação – um valor há muito estimado e um conjunto de práticas nas cooperativas e em seus contextos culturais mais amplos – tem perdido um pouco de seus sentidos profundamente democráticos e "políticos", tornando-se mais associada ao envolvimento intenso do trabalho pelos "sócios" ou trabalhadores-proprietários. Ao mesmo tempo, o treinamento filosófico em cooperativismo, que inicialmente era proeminente, tornou-se um tanto quanto sem sentido e obscurecido pelo treinamento técnico padrão.

Essa pesquisa, embora tenha, originalmente, se voltado a meios de/e interpretações de participação em uma era de globalização, considerou os níveis de cultura que cercam e instilam a experiência cooperativa. Particularmente, a tradução de filosofias difusas de gestão atuais por líderes de sucesso foi examinada em detalhes como se estivesse claro que os símbolos do "mercado" eram tão importantes para sua agência atribuída quanto as pressões materiais/econômicas verdadeiras. Ao longo do curso de uma década (os anos 1990), a substituição de símbolos do "consumidor" para o "cidadão" foi claramente observada nas comunidades hospedeiras e nas sociedades basca e espanhola. Isso constava nos documentos corporativos e cívicos da mesma forma que no nível dos discursos pessoais, do lar e da comunidade. Os discursos consumistas e gerencialistas do mercado trabalharam juntos para colocar ênfase ainda maior no "serviço do consumidor" em toda a cadeia de processos de trabalho (CHENEY, 2006).

Recentemente, Cheney (2008) teceu considerações de identidade em conjunto com questões de valores democráticos e cultura (organizacional). Enfrentamentos grandes estão ocorrendo dentro e em torno das cooperativas sobre a identidade organizacional – quanto ao fato de algumas cooperativas estarem afirmando sua força financeira no mercado espanhol e em relação à "basquesa" de algumas delas. Tudo isso acontece contra o pano de fundo de conflitos políticos em andamento. É interessante observar, todavia, que, em meio à recessão econômica atual, há experimentos em participações populares, mais radicais, que estão tentando conectar identidades no nível de grupo, organizacionais e comunitárias (CHENEY, AZKARRAGA; UDAONDO, 2012). Alguns dos esforços são apoiados pela liderança da corporação em si, construindo uma pesquisa bastante ampla e conjuntos de discussões relacionados com a renovação do cooperativismo e conduzidos de 2005 a 2008. É importante frisar que essas intervenções experimentais têm fortes dimensões educacionais orientadas para a comunidade; desse modo, conectam a participação dentro da empresa e a atividade cívica em nível mais abrangente. Os comprometimentos dos próprios pesquisadores em participar dos multiníveis da sociedade revelam o reengajamento das cooperativas.

Por fim, o caso Mondragón, além de seus aspectos únicos e particulares, pode nos ensinar bastante – especialmente no que se refere a como a identidade, a cultura e o desenvolvimento de certos discursos sofrem mudanças uns com os outros e a como o pesquisador deve se adaptar ao escopo e foco da pesquisa de forma adequada.

Sobre o papel da pesquisa longitudinal na investigação e cocriação de cultura e identidade organizacional

Finalmente, delineamos algumas pesquisas futuras sobre o tema. No entanto, dado o espaço disponível, nos restringimos a três implicações, a saber:

» Primeiro, corroborando a abordagem interpretativa na comunicação organizacional, vemos a liderança aberta a múltiplos significados, leituras e interpretações (CHENEY, CHRISTENSEN, ZORN; GANESH, 2010). Na verdade, a pesquisa sobre liderança pode ser aproximada dos estudos de cultura para reconsiderar os valores, a motivação, a identidade e a cultura ao longo do tempo. Isso pode ajudar a iluminar questões resistentes sobre o *locus* e a institucionalização do carisma (WEBER, 1978).

» Segundo, como foi visto em todos esses estudos de caso, a cultura tanto rodeia quanto permeia a experiência organizacional, além de fornecer um ponto de referência pelo qual os atores organizacionais negociam seus comprometimentos. A reflexividade do pesquisador pode ser observada dentro de um contexto levando em consideração a identidade e a cultura nas organizações, na medida em que o pesquisador participa em "trabalho de identidade" (ALVESSON, ASHCRAFT; THOMAS, 2008), ao lado de outros participantes que não são pesquisadores.

» Terceiro, o escopo de considerações de identidade e cultura pode ser expandido ao longo de uma investigação para levar em conta as dialéticas importantes entre particularismo e universalismo (BROWN, 1977).

Referências

ADLER, P. A.; ADLER, P. Observational techniques. In: DENZIN, N. K.; LINCOLN, Y. S. (eds.). *Collecting and interpreting qualitative materials*. Thousand Oaks, CA: Sage, 1998. p. 79-109.

ALBERT, S.; WHETTEN, D. Organizational identity. In: CUMMINGS, L.; STAW, B. (eds.). *Research in organizational behavior*. Greenwich, CT: JAI, 1985. v. 7, p. 263-295.

ALVESSON, M. Talking in organizations: managing identity and impressions in an advertising agency. *Organization Studies*, v. 15, n. 4, p. 535-563, 1994.

ALVESSON, M.; ASHCRAFT, K.; THOMAS, R. Identity matters: reflections on the construction of identity scholarship in organization studies. *Organization*, v. 15, n. 1, p. 5-28, 2008.

BROWN, R. H. *A poetic for sociology*: toward a logic of discovery for the human sciences. Chicago, IL: University of Chicago Press, 1977.

CHENEY, G. On the various and changing meanings of organizational membership: a field study of organizational identification. *Communication Monographs*, v. 50, p. 343-363, 1983.

CHENEY, G. *Rhetoric in an organizational society*: managing multiple identities. Columbia: University of South Carolina Press, 1991.

CHENEY, G. Democracy in the workplace: theory and practice from the perspective of communication. *Journal of Applied Communication Research*, v. 23, p. 167200, 1995.

CHENEY, G. The many meanings of "solidarity": negotiation of values in a workercooperative complex under pressure. In: SYPHER, B. D. (ed.). *Case studies in organizational communication*: 2. Nova York: Guilford, 1997. p. 68-83.

CHENEY, G. *Values at work*: employee participation meets market pressure at Mondragón. Londres: Cornell University Press, 1999.

CHENEY, G. Interpreting interpretive research: toward perspectivism without relativism. In: CORMAN, S.; POOLE, M. (eds.). *Perspectives on organizational communication*. Nova York: The Guilford Press, 2000. p. 17-45.

CHENEY, G. Forms of connection and severance in and around the Mondragón worker-cooperative complex. In: SHEPHERD, G.; ROTHENBUHLER, E. (eds.). *Communication and community*. Mahwah, NJ: Erlbaum, 2001. p. 135-156.

CHENEY, G. Implications of Mondragón for sustainable community economic development: The case of the Tongan Vision Project of NZ. In: BROWN-PULU, T. J. (ed.). *Journal of Maori and Pacific Island Development*, v. 3, n. 2, p. 2-13, 2002.

CHENEY, G. Democracy at work within the market: reconsidering the potential. In: SMITH, V. (ed.). *Research in the sociology of work – worker participation*: current research and future trends. Oxford, RU: Elsevier/JAI, 2006. v. 16, p. 179-204.

CHENEY, G. *On the future of cooperativism*. Gizabidea: Arizmendi Topaketak, Basque Country, Spain, 2008.

CHENEY, G. et al. *Organizational communication in an age of globalization*: issues, reflections, practices. 2. ed. Long Grove, IL: Waveland Press, Inc., 2010.

CHENEY, G.; AZKARRAGA, J.; UDAONDO, A. New perspectives on decision making, participation and identity at Mondragón. In: ATZENI, M. (ed.). *Alternative work organizations*. Londres: Oxford University Press, 2012. p. 76-102.

CHRISTENSEN, L.; CHENEY, G. Self-absorption and self-seduction in the corporate identity game. In: SCHULTZ, M., HATCH, M.; LARSEN, M. (eds.). *The expressive organization*: linking identity, reputation, and the corporate brand. Oxford: Oxford University Press, 2000. p. 246-270.

CHENEY, G.; CHRISTENSEN, L. Organizational identity: linkages between internal and external communication. In: JABLIN, F.; PUTNAM, L. (eds.). *The new handbook of organizational communication*: advances in theory, research, and methods. Thousand Oaks, CA: Sage, 2001. p. 231-269.

CORNELISSEN, J. Metaphor and the dynamics of knowledge in organization theory: a case study of the organizational identity metaphor. *Journal of Management Studies*, v. 43, n. 4, p. 683-709, 2006.

COOREN, F. *The organizing property of communication*. Amsterdã/Filadélfia: John Benjamins, 2000.

CZARNIAWSKA, B. *Narrating the organization*: dramas of institutional identity. Chicago: The University of Chicago Press, 1997.

CZARNIAWSKA, B.; WOLFF, R. Constructing new identities in established organization fields. *International Studies of Management and Organization*, v. 28, p. 32-56, 1998.

EASTLAND, L. S. The dialectical nature of ethnography: liminality, reflexivity, and understanding. In: HERNDON, S. L.; KREPS, G. L (eds.). *Qualitative research*: applications in organizational communication. Cresskill, NJ: Hampton, 1993. p. 121-138.

FOUCAULT, M. *The Foucault reader*. Nova York: Pantheon, 1984.

GRANT, S. Narrating The Body Shop: a story about corporate identity. (Unpublished doctoral dissertation). University of Waikato, Hamilton, Nova Zelândia, 2004.

HATCH, M.; SCHULTZ. The dynamics of organizational identity. *Human Relations*, v. 55, n. 8, p. 989-1018, 2002.

HATCH, M.; YANOW, D. Organizational studies as an interpretive science. In: KNUDSEN, C.; TSOUKAS, H., (eds.). *The Oxford handbook of organization theory*: meta-theoretical perspectives. Nova York: Oxford University Press, 2003. p. 63-87.

HATCH, M.; YANOW, D. Methodology by metaphor: ways of seeing in painting and research. *Organization Studies*, v. 29, n. 1, p. 23-44, 2008.

HEDGES, J. *The expressions and transformations of identity in Alcoholics Anonymous*: a multi-method study of individual, group, and organization. (Unpublished doctoral dissertation). University of Utah, Salt Lake City, 2008.

HOCHSCHILD, A. R. *The managed heart*: commercialization of human feeling. Berkeley, CA: University of California Press, 1983.

JACKSON, J. E. "Deja Entendu": the liminal qualities of anthropological fieldnotes. In: VAN MAANEN, J. (ed.). *Representation in ethnography*. Thousand Oaks, CA: Sage, 1985. p. 36-78.

KONDO, D. K. *Crafting selves*: power, gender, and discourses of identity in a Japanese workplace. Chicago: University of Chicago Press, 1990.

LITTLEJOHN, S.; FOSS, K. *Theories of human communication*. Londres: Wadsworth, 2008.

MILLER, K. I. Common ground from the post-positivist perspective: from "straw person" argument to collaborative coexistence. In: CORMAN, S.; POOLE, R. M. S. (eds.). *Perspectives in organizational communication*: finding common ground. Nova York: Guilford Press, 2000. p. 46-67.

MUMBY, D. K. Common ground from the critical perspective: overcoming binary oppositions. In: CORMAN, S.; POOLE, S. (eds.). *Perspectives on organizational communication*: finding common ground. Nova York: Guilford Press, 2000. p. 68-86.

RITZ, D. Can corporate personhood be socially responsible? In: MAY, S.; CHENEY, G.; ROPER, J. (eds.). *The debate over corporate social responsibility*. Nova York: Oxford University Press, 2007. p. 190-206.

SMIRCICH, L. Concepts of culture and organizational analysis. *Administrative Science Quarterly*, v. 28, p. 339-358, 1983.

STONER, M.; PERKINS, S. *Making sense of messages*: a critical apprenticeship in rhetorical criticism. Nova York: Houghton-Mifflin, 2005.

TAYLOR, J.; VAN EVERY, E. *The emergent organization*: communication as its site and surface. Mahwah, NJ: Lawrence Erlbaum Associates, Publishers, 2000.

WEBER, M. *Economy and society*. Berkeley, CA: University of California Press, 1978. v. 1-2.

WEICK, K. Keynote address at the first conference on interpretive and critical approaches to organizational communication, Alta, Utah, 1981.

WEICK, K. *Sensemaking in organizations*. Londres: Thousand Oaks, CA: Sage, 1995.

WEICK, K.; SUTCLIFFE, K.; OBSTFELD, D. Organizing and the process of sensemaking. *Organization Science*, v. 16, n. 4, p. 409-421, 2005.

CULTURA, ORGANIZAÇÃO E PODER

Dennis K. Mumby

Introdução

O estudo da relação entre cultura e poder tem uma longa história na pesquisa de comunicação organizacional. Antes mesmo da "cultura organizacional" ter se tornado um constructo importante para os estudiosos de trabalho e *organizing*, os sociólogos organizacionais estavam começando a explorar as formas pelas quais as realidades organizacionais dos trabalhadores construídas coletivamente eram solidamente mediadas por estruturas de poder e política. O estudo antigo de Clegg (1975) sobre um local em construção, por exemplo, baseava-se na perspectiva weberiana de explorar como os procedimentos interpretativos eram subestimados por estruturas de poder e dominação. A etnografia marxista clássica de Burawoy (1979) sobre uma fábrica de máquinas e ferramentas explorou as práticas de *sensemaking* de operários do chão de fábrica, por meio de uma análise do jogo de local de trabalho com o "descobrir" – um jogo que dispunha cada empregado contra as máquinas nas quais eles trabalhavam e uns contra os outros. Ambos os estudos são significativos por ajudarem a ilustrar que a "cultura organizacional" é mais que simplesmente construir a realidade organizacional de forma comunicativa e coletiva. A cultura é tanto meio quanto resultado dos sistemas de poder e de interesses políticos que são a "estrutura profunda" (GIDDENS, 1979) das organizações.

Por que este trabalho (e outros como ele) é tão importante para o estudo das organizações como culturas? A seguir, algumas razões:

1. A exploração da relação entre cultura e poder possibilita examinar como, ao invés de surgir espontaneamente e por consenso, os significados organizacionais são o produto de diversas habilidades dos *stakeholders* de moldar o processo de construção de significado para seus próprios fins.

2. O significado é sempre negociado e repleto de multiplicidade. Isto é, nenhuma cultura organizacional é monolítica e singular em seu significado e interpretação. Os funcionários se apropriam, resistem e retrabalham esforços de gestão para ditar uma cultura organizacional uniforme. Nesse sentido, o poder e a resistência não são simplesmente opostos, mas dialeticamente complementares.

3. A cultura opera no nível do cotidiano e existe nas práticas e discursos contínuos dos membros organizacionais. O grau de estabilidade da cultura organizacional, quando existente, é somente "real" em sua representação comunicativa pelos membros e é aberta a mudanças e transformações. As organizações, portanto, são locais complexos e contraditórios de construção e negociação de significados.

4. A cultura é constituída pela diferença, ou seja, os significados surgem por meio de articulações de algumas coisas e questões. Umas, mais importantes; outras, menos. Portanto, o significado é enraizado na afirmativa "as diferenças que fazem a diferença". Opostos como homem/mulher, preto/branco, por exemplo, estão na base de muita construção de significado, e são, em parte, os resultados de lutas políticas sobre o que é importante e sobre o que merece atenção. De algumas formas, o poder pode ser descrito como a habilidade de alguns grupos de moldar as "diferenças que fazem a diferença", e, portanto, os constructos que utilizamos para compreender o mundo. A resistência envolve, em parte, a habilidade de remoldar e transformar aqueles constructos opostos, recompondo assim o que conta como significativo.

Neste capítulo, será explorada a interseção de poder e cultura, abordando como eles se agregam no contexto dos processos organizacionais.

Contudo, ao longo dos últimos trinta anos, o estudo das organizações como estruturas de significado tem se desenvolvido em direção a um campo de estudo multidisciplinar e de diversas perspectivas. De forma complementar, o estudo da relação entre poder e organizações tem avançado em direção a um terreno conceitual similarmente complexo (CLEGG, 1989; CLEGG, COURPASSON; PHILLIPS, 2006). Por conseguinte, cada uma dessas várias perspectivas opera de acordo com diferentes pressupostos teóricos não somente no que se refere à natureza do poder, mas também sobre o caráter das organizações como estruturas políticas. Além disso, questões de identidade do trabalhador e as formas pelas quais os membros organizacionais são construídos como "sujeitos" do trabalho são exploradas de modo diferente em cada uma dessas abordagens. Dada essa diversidade teórica, o enfoque, neste capítulo, recai sobre duas abordagens diferentes, porém relacionadas, que lidam com a interseção entre comunicação, poder e *organizing*. A primeira é influenciada pela teoria crítica e pelo pensamento neomarxista que examina a organização como sistemas de ideologia e poder. A segunda abordagem, por sua vez, refere-se ao poder baseando-se no pensamento pós-estruturalista e pós-moderno para examinar as organizações como formas de disciplina.

Comunicação, poder e *organizing*

Em um panorama mais abrangente, a trajetória geral de pesquisa sobre poder consiste em uma visão comportamental do poder como uma posse pessoal ou um recurso material que pode ser consumido e na qual o poder é visto como algo que funciona de modo causal (BACHRACH; BARATZ, 1962; DAHL, 1957; PFEFFER, 1981). No entanto, nas considerações mais recentes, o poder é conectado à habilidade de moldar o significado, as realidades sociais e as identidades dos funcionários (CLEGG, 1989; FOUCAULT, 1979; LUKES, 1974; MUMBY, 2001). Com base nesta última concepção, comunicação e poder são estreitamente ligados e dialeticamente relacionados; isto é, as relações de poder tanto fornecem o contexto mais amplo no qual a comunicação e os significados se revelam, como são constituídas de forma comunicativa (VAN DIJK, 1993). Essa relação dialética é detalhada a seguir.

O estudo das relações entre comunicação, poder e *organizing* resultou em um grande corpo de pesquisas que examina o poder como algo constituído na ação e contestado por diferentes formas discursivas e comunicativas. Estas incluem: narrativa organizacional (BOJE, 1991; BROWN,

1998; HELMER, 1993; MUMBY, 1987, 1993; WITTEN, 1993); rituais de ambiente de trabalho (COLLINSON, 1988; ROSEN, 1985, 1988); metáforas organizacionais (DEETZ; MUMBY, 1985; SMITH; KEYTON, 2001; SMITH; EISENBERG, 1987); humor (COLLINSON, 1988; HOLMES, 2000; RHODES; WESTWOOD, 2007); conversas de trabalho cotidianas (HOLMES, 2000, 2006); ironia e cinismo (FLEMING; SPICER, 2003; HATCH, 1997; TAYLOR; BAIN, 2003), entre outros. Boa parte desse estudo preocupa-se em explorar como essas diversas formas discursivas possibilitam que os grupos de *stakeholders*, que competem entre si, moldem os significados e as interpretações organizacionais que legitimam seus próprios interesses e "se fincam" na organização.

Na medida em que o poder está vigorosamente relacionado com moldar as práticas rotinizadas de *sensemaking*, o estudo de processos comunicativos do cotidiano é a chave para compreender como se dá essa dinâmica. Contudo, como mencionado, o estudo das relações entre comunicação, poder e *organizing* é complicado pelo desenvolvimento de múltiplas perspectivas, uma vez que cada uma enfatiza diferentes aspectos dessa relação. A seguir, são discutidas duas dessas perspectivas, a saber: (1) estudos críticos; e (2) estudos pós-modernos.

Estudos críticos da cultura organizacional

A pesquisa em comunicação organizacional sob uma perspectiva crítica tem como base uma tradição neomarxista com um foco em questões de ideologia e hegemonia (ALTHUSSER, 1971; GRAMSCI, 1971; MARX, 1967). Sob essa perspectiva, os estudos concentram-se nas formas como organizações capitalistas são capazes de produzir e reproduzir as relações de poder no local de trabalho. Enquanto Marx discutia as relações capitalistas de produção como amplamente coercitivas, com os capitalistas violentamente expropriando o poder de trabalho da classe trabalhadora, a tradição crítica contemporânea concentra-se mais em como, sob as condições de trabalho modernas ostensivamente mais humanas e participativas, os trabalhadores ainda consentem a sistemas de poder que não necessariamente trabalham em prol de seus melhores interesses. Nesse contexto, os conceitos de ideologia e hegemonia desempenham um papel explicativo essencial.

O termo "ideologia" refere-se menos a um sistema simples de ideias e mais a uma relação vivida por completo em um mundo moldado por diversas práticas discursivas e não discursivas (EAGLETON, 1991; HALL, 1983, 1985). A ideologia provê um arcabouço interpretativo pelo qual os atores sociais encontram sentido em sua relação com o mundo. Todavia, a ideologia não enquadra o mundo de forma neutra, mas, em vez disso, incorpora e obscurece simultaneamente as relações de poder subjacentes. Como Marx explicou, a ideologia trabalha para obscurecer as origens das ideias dominantes em uma sociedade, tanto que elas são apresentadas não como um produto particular de uma classe dominante específica e localizada historicamente, mas um conjunto de "verdades" geralmente aceitas e universais. A questão de essas ideias dominantes serem historicamente específicas, e não universais, é facilmente demonstrada ao se pensar que crenças arcaicas uma vez foram universais, por exemplo: a crença de que reis eram escolhidos pelo divino; ou, bem mais recente, a ideia de que as mulheres não eram qualificadas para votar ou desempenhar um alto cargo em uma organização. Em ambas as situações, tais "verdades universais" servem aos interesses de certos grupos (a aristocracia e os homens, respectivamente) e privam outros de seus direitos civis (camponeses e mulheres, respectivamente). O ponto importante a destacar sobre a ideologia é que ela funciona para manter o *status quo* e, ao mesmo tempo, obscurece o fato de que esse mesmo *status quo* é historicamente contingente e serve aos interesses de certos grupos em detrimento de outros.

O conceito de hegemonia (GRAMSCI, 1971; MUMBY, 1997) é relacionado com o de ideologia, mas refere-se a um tipo particular de relação de poder entre grupos de interesse em competição. Para o poder ser exercido de forma mais efetiva, o grupo que dita as regras não deve tratar os grupos subordinados de forma coercitiva, mas, ao invés disso, deve criar condições com as quais os últimos concordem e de fato apoiem de forma ativa as ideias e sistemas de significado – a ideologia – do grupo que dita as regras. Quando um grupo é "hegemônico", então, suas ideias e visão de mundo são "espontaneamente" aceitas como "a forma como as coisas são" pelos membros de outros grupos.

No contexto dos estudos críticos organizacionais, os pesquisadores têm explorado como os significados organizacionais e os processos de comunicação funcionam ideologicamente para estruturar as relações de poder no local de trabalho. Como mencionado no início deste capítulo, o exemplo de trabalho antigo mais conhecido sobre esse tema é o estudo etnográfico de Burawoy (1979) sobre os operários de uma fábrica de componentes de máquina. No estudo, ele mostra como os empregados são levados a trabalhar arduamente para a empresa, não por meio de práticas de gestão coercitivas, mas com o auxílio de um jogo de chão de fábrica chamado "descobrir", no qual eles competem uns com os outros e contra as máquinas para descobrir como os bônus de produtividade são alcançados. Burawoy argumenta que o jogo do "descobrir" – discursivamente construído e coletivamente praticado pelos trabalhadores – funciona ideologicamente para manter e reproduzir as relações hegemônicas entre gestão e funcionários. Com base na lógica neomarxista, Burawoy afirma que o jogo ideologicamente reproduz as relações capitalistas de produção ao levar os empregados a concentrar-se no jogo em si e em seu desejo de ganhar das máquinas, ao invés de nas relações fundamentalmente antagônicas entre a gestão, como agentes do capitalismo, e os trabalhadores em si. Como Burawoy argumenta, o jogo assegura "mais-valia" para os capitalistas enquanto obscurece as origens deste valor na exploração dos trabalhadores em si.

Durante os trinta anos posteriores ao estudo crítico de Burawoy, os estudiosos exploraram as funções ideológicas de inúmeras formas de discurso, incluindo histórias (HELMER, 1993; MUMBY, 1987; WITTEN, 1993), rituais (ROSEN, 1985, 1988), humor (COLLINSON, 1988; LINSTEAD, 1985; RHODES; WESTWOOD, 2007), metáforas (DEETZ; MUMBY, 1985) e conversas do cotidiano (HUSPEK; KENDALL, 1991; MUMBY; STOHL, 1992). Enquanto muitos desses estudos exploram como a hegemonia é produzida e reproduzida no nível dos processos comunicativos cotidianos, um corpo significativo de pesquisa tem examinado como as formas de luta e resistência a significados e ideologias dominantes frequentemente emergem no local de trabalho. Como a pesquisa mostra, poder, por definição, é um fenômeno bastante contestado. Um dos aspectos mais úteis e instigantes deste trabalho é a habilidade de demonstrar como a comunicação mundana, do dia a dia dos membros da organização tem implicações significativas para as questões mais amplas de poder e resistência organizacional.

Um exemplo excelente de um estudo crítico de poder e resistência organizacional é o estudo de Collinson (1988, 1992) sobre o humor cotidiano no chão de fábrica do setor de caminhões. Nesse estudo, ele mostra que o humor não é apenas uma característica disseminada e definida da cultura dos integrantes desse chão de fábrica, mas também está fortemente relacionado com lutas relativas a definições de trabalho competitivas e a relações apropriadas entre gerentes e trabalhadores. O humor, por conseguinte, é usado tanto para evitar a monotonia no local de trabalho, quanto para fazer paródias e resistir aos esforços da gerência de cooptar os trabalhadores a uma nova cultura corporativa, que enfatize a cooperação entre gestores e trabalhadores. Em uma cultura de chão de fábrica, pautada em um sentido forte de masculinidade da classe trabalhadora e em profunda desconfiança das motivações gerenciais, o humor é um meio poderoso pelo qual se legitima e se reproduz essa masculinidade, enquanto, simultaneamente, resiste-se aos esforços gerenciais de moldar a realidade organizacional. Como um dos trabalhadores declara, "O pessoal no chão de fábrica é genuíno. Eles são o sal da terra, mas são todos 'menininhas' nos escritórios" (COLLINSON, 1988, p. 186). Collinson demonstra como "dar uma risada" e ser capaz de insultar e receber insultos não é apenas visto como algo comum à identidade da classe trabalhadora masculina, mas também renega os trabalhadores de escritório como sendo menos masculinos ("menininhas"). Por mais homofóbico e sexista que seja esse comentário, ele revela como os trabalhadores do chão de fábrica conectam sua identidade masculina ao "trabalho de verdade" (trabalho físico, duro) ao negarem o trabalho administrativo por considerarem esse afeminado. Como um trabalhador diz a Collinson ao observá-lo lavar as mãos no banheiro, "Quer dizer que você caiu?" A implicação aqui, é claro, é que, como um "trabalhador do conhecimento", ele não poderia ter sujado suas mãos fazendo seu trabalho comum.

O estudo de Collinson é um exemplo útil de uma análise crítica da cultura organizacional, pois efetivamente ilustra como as práticas comunicativas cotidianas dos membros organizacionais estão fortemente relacionadas com a dinâmica do poder e da resistência. Além disso, incorpora os níveis micro e macro de análise, uma vez que modela a análise da comunicação e *sensemaking* cotidianas com base numa compreensão dos discursos de nível macro da masculinidade da classe trabalhadora e das relações capitalistas de produção. Por conseguinte, cada nível de análise efetivamente informa o outro.

No geral, estudos críticos sobre discurso organizacional têm suscitado *insights* importantes sobre como o poder e o significado se interceptam no nível da vida organizacional cotidiana. Boa parte dos estudiosos dessa área está interessada nas possibilidades de agência do local de trabalho; isto é, o grau em que os empregados são aptos a "agir de outra maneira" (GIDDENS, 1979) e a construírem realidades organizacionais alternativas às articuladas pelos interesses gerenciais.

Estudos pós-modernos da cultura organizacional

Começando, de forma tímida, no início dos anos 1990, os estudos pós-modernos do poder organizacional refletem um conjunto diferente de preocupações conceituais e empíricas se comparados aos estudos críticos (consulte ALVESSON; DEETZ, 1996, para obter uma análise comparativa útil dessas duas abordagens). Primeiramente, os estudos pós-modernos refletem uma tentativa de capturar o caráter mutante do trabalho e das organizações. Enquanto os estudos críticos neomarxistas usualmente concentravam-se em formas organizacionais fordistas tradicionais caracterizadas pelo poder centralizado, hierarquias fortes, grupos de *stakeholders* claramente demarcados (gerentes, trabalhadores etc.), estruturas burocráticas formais, e assim por diante, os estudos pós-modernos geralmente examinavam formas de *organizing* (comumente chamadas "pós-fordistas") que refletem o "novo local de trabalho" – isto é, organizações caracterizadas por hierarquias mais flexíveis, estruturas de decisão mais descentralizadas e/ou baseadas em equipes, processos de trabalho fundamentados no conhecimento intensivo, identidades empreendedoras de local de trabalho, sistemas de produção *just-in-time*, e assim por diante.

Em segundo lugar, baseando-se fortemente no trabalho do filósofo francês Michel Foucault, os estudos organizacionais pós-modernos modelam o poder não como um processo de ideologia e hegemonia, mas como um mecanismo disciplinador que constrói a subjetividade do empregado. No sentido de Foucault (1979), então, poder é "produtivo" e não negativo. Assim, os estudiosos pós-modernos tentam explicar as formas pelas quais os discursos organizacionais constroem identidades, que são, então, sujeitas aos mecanismos de controle disciplinador incorporados no novo local de trabalho. Essa nova estrutura de local de trabalho funciona "pan-opticamente", uma vez que os empregados estão constantemente em alerta sobre a possibilidade de vigilância mesmo nas horas em que não estão sendo diretamente observados pelos supervisores, ou mesmo por colegas de trabalho. Observados ou não, os trabalhadores se engajam na nova forma de "autovigilância", por meio da qual internalizam a subjetividade do local de trabalho, que é assumida como resultado do trabalho articulado e monitorado de forma ética por todo o grupo.

Estudos pós-modernos, então, refletem um senso de que uma nova forma de poder caracteriza a organização (pós-)moderna e suas cultura(s). Em vez de pensar no poder como centralizado em um grupo de elite (geralmente, proprietários/gerentes), a visão pós-moderna enxerga o poder como disperso na organização de forma descentralizada. Enquanto, à primeira vista, esse sistema de poder difuso parece ser mais igualitário e democrático, os pesquisadores pós-modernos discutem que, de forma paradoxal, essas estruturas de poder dispersas trabalham para criar formas organizacionais mais opressivas que o outro tipo de organização fordista. O exemplo a seguir ilustra esse argumento contraintuitivo.

Barker (1993, 1999) desenvolve um estudo de caso instigante sobre como uma empresa de alta tecnologia muda de uma estrutura organizacional hierárquica tradicional para uma forma de tomada de decisão descentralizada, plana, que dá aos empregados um nível bem maior de participação no funcionamento diário da organização e introduz um sistema de poder e controle bem mais disseminado e traiçoeiro que o sistema burocrático anterior. Como isso ocorre? Barker mostra como a empresa literalmente muda da noite para o dia de seu sistema de tomada de decisão tradicional e burocrático para um sistema descentralizado no qual os empregados estão organizados em equipes autônomas de trabalho com controle total sobre as decisões do processo de trabalho. Ao se depararem com essa nova estrutura, os empregados, *a priori*, não sabem ao certo como se comportar. E se eles fizerem algo errado? O presidente da empresa assegura-lhes que não há decisões "erradas" e que, enquanto ele estiver disponível para dar conselhos, não intervirá nas discussões deles sobre como organizar seus trabalhos. Barker ilustra como, ao longo do tempo, essa liberdade aparente sobre a tomada de decisão evolui para um sistema de "controle ajustado" autogerado, que fundamenta tudo o que a equipe fala e faz.

Barker (1993, p. 412), seguindo Tompkins e Cheney (1985), argumenta que, sob um controle ajustado, o local de autoridade muda do sistema de regras burocrático impessoal para "o consenso de valor de seus membros e seu sistema de regras generativo criado socialmente". Em outras palavras, enquanto em uma estrutura burocrática um empregado pode chegar ao trabalho no horário estipulado porque as regras dizem que ele deve e que terá problemas se não o fizer, sob um sistema de controle ajustado, um empregado obedecerá ao horário estipulado porque os membros da equipe criaram, coletivamente, um "valor de premissa" dentro do qual a pontualidade é considerada integral tanto para o desempenho bem-sucedido do trabalho, quanto para a definição de excelência da própria equipe. Nesse sentido, os empregados não são capazes de argumentar que o sistema de regras foi simplesmente imposto a eles. Além do mais, os empregados operam de acordo com um conjunto de valores autogerado, ao invés de um conjunto de regras burocráticas, isso porque essas não estão visíveis.

No estudo de Barker, então, é descrito como esse sistema de controle coercitivo emerge das equipes de empregados, criando um nível de acompanhamento e vigilância bem mais amplo que tudo que acontecia no modelo burocrático anterior. Como um membro de uma equipe menciona, "eu não tenho que sentar lá e ver se o chefe está ao redor; e se o chefe não está ao redor, eu posso sentar lá e conversar com o meu vizinho ou fazer o que eu quero. Agora toda a equipe está ao meu redor e toda a equipe está observando o que eu estou fazendo" (BARKER, 1993, p. 408-437).

O estudo de Barker deixa claro que, no local de trabalho pós-fordista, uma das principais lutas por poder e controle se dá em torno da construção de identidades e subjetividades de local de trabalho. Novamente, com base no trabalho de Foucault, os estudiosos têm explorado como os empregados têm se tornado "objetos do conhecimento" que são "disciplinados" a se comportarem como um "bom empregado" (a não ser que ele se revele como um empregado ruim!). Essa manobra também inclui a visão dos empregados deles mesmos como objetos de autoconhecimento; isto é, pelo poder do efeito pan-óptico dos discursos disciplinadores, os empregados rotineiramente examinam com cuidado seus próprios comportamentos e atitudes para ver se são semelhantes aos padrões organizacionais esposados. Esse sistema rotineiramente produz inseguranças e instabilidades em torno das questões de identidade, uma vez que os empregados consistentemente se encontram em falta no que é necessário para serem bem-sucedidos, pelo menos como é determinado organizacionalmente – uma definição que é alterada regularmente à medida que as organizações se sentem pressionadas a se adaptarem a economias que mudam ou a gostos dos consumidores (COLLINSON, 2003).

Um ótimo exemplo de como essa interseção de poder, discurso e subjetividade opera no local de trabalho é dado por Nadesan (1997) em sua análise do uso disseminado de testes de personalidade do empregado nas organizações modernas. Frequentemente, as empresas os aplicam a empregados atuais ou prospectivos como um meio de "objetivamente" medir sua adequação a certos tipos de emprego. Nadesan (op. cit., p. 190) argumenta que "o uso disseminado de exames de personalidade deveria ser entendido como uma prática discursiva", que constrói um modelo particular de tipo de pessoa pelo qual as empresas disciplinam e objetificam os empregados. Com base em um quadro de referência foucaultiano, ela analisa testes de personalidade como uma "tecnologia confessional" por meio dos quais os empregados revelam a eles próprios e a outros características "objetivas" de suas personalidades. Nesse sentido, o empregado é construído como certo "tipo de personalidade", e também como um objeto gerenciável de conhecimento, para a organização, e um sujeito de autoconhecimento, para o empregado. Como Nadesan aponta, tais testes não "descobrem" traços de personalidade que já existiam em empregados tanto quanto eles criam um sujeito particular, definido de forma muito específica (apesar de afirmada como objetiva), que pode ser empregado como um "recurso humano" em uma forma que melhor sirva à empresa.

O estudo de Nadesan é um exemplo excelente de como o poder organizacional trabalha de forma discursiva para criar objetos de controle que não existiam antes da construção do discurso em si. Também é um bom exemplo de como pesquisadores da comunicação organizacional estão interessados não somente nas conversas do dia a dia dos membros organizacionais, mas também nos discursos macro que moldam a própria ideia do que vem a ser um membro de uma organização. Nesse caso, Nadesan ilustra como um sistema de avaliação aparentemente neutro de empregados (potenciais) serve para **construir** o empregado ideal como um objeto de conhecimento (para ele próprio e para a organização).

Em conformidade com o trabalho de estudiosos como Nadesan, os pesquisadores têm-se voltado mais recentemente aos discursos macro da nova economia pós-fordista para ilustrar as formas pelas quais a ideia de "cultura organizacional" estável está cada vez mais problemática, se não quimérica. Enquanto os gurus da cultura dos anos 1980 (PETERS; WATERMAN, 1982) apelavam para culturas organizacionais sólidas com as quais os empregados podiam se identificar veemente, os teóricos contemporâneos argumentam que tais noções eram, na melhor das hipóteses, problemáticas (com pouca evidência de uma conexão entre culturas fortes e produtividade) e, na pior das hipóteses, esforços cínicos para apropriar e explorar as identidades dos empregados (CASEY, 1995; KUNDA, 1992). Certamente, alguns pesquisadores têm argumentado que fatores como a emergência da "nova economia" e a era da reengenharia, *downsizing*, "agência livre" do empregado e direitos dos acionistas, entre outros, têm criado um ambiente de trabalho tão imprevisível que qualquer afirmação sobre o sentido de lealdade recíproco entre trabalhadores e empregadores (característica do contrato social posterior à Segunda Guerra Mundial) não reflete as realidades atuais de trabalho.

Alguns autores (BAUMAN, 2000; HO, 2009; ROSS, 2003, 2008; SENNETT, 1998) têm explorado essa questão com base no que pode ser descrito como uma perspectiva "pós-moderna". Bauman (2000), por exemplo, usa o termo modernidade "líquida" ou "leve" para descrever as condições sociais, políticas e econômicas atuais que moldam como nos relacionamos com nós mesmos, com outras pessoas, com o trabalho e com o consumo. Ele contrasta essa condição com o que chama de modernidade "pesada" ou "sólida", comum no período fordista. Como ele relata:

> O fordismo foi a autoconsciência da sociedade moderna na sua fase "pesada", "corpulenta", "imóvel e enraizada" e "sólida". Nessa fase, sua história, seu capital, sua gestão e seu trabalho eram todos, para melhor ou pior, fadados a ficar na empresa um do outro por um longo período de tempo, talvez para sempre – presos à combinação de prédios de fábrica imensos, maquinário pesado, e forças de trabalho monolíticas... O capitalismo pesado era obcecado por tamanho, e, por

essa razão, também com as fronteiras, as tornavam apertadas e impenetráveis (Bauman, 2000, p. 57-58).

Esse "capitalismo pesado" mantinha os trabalhadores em um lugar e tempo, e a carreira em uma única organização (no caso de Henry Ford, a introdução do salário de US$5,00/por dia foi a corrente que ajudou a segurar os trabalhadores ao processo de trabalho). Por outro lado, a "modernidade líquida" é a era do descompromisso e do indefinido; ou seja, "aqueles que estão livres para se movimentar sem aviso, ditam as regras" (BAUMAN, 2000, p. 120). Ao contrário, "são as pessoas que não podem se mover rapidamente, e mais precisamente a categoria de pessoas que não podem, por livre e espontânea vontade, deixar seus lugares de jeito nenhum, que seguem as regras" (ibidem).

Por conta do trabalho desincorporado da era do software e da modernidade líquida que não mais está atrelado ao capital, permite-se que haja uma liberdade dos condicionamentos de espaço; pode-se se movimentar para qualquer lugar, e muito rapidamente: "O capitalismo pode se mover rápido e levemente, e sua leveza e mobilidade tornaram-se a maior fonte de incerteza para todo o resto. Isso tem se tornado a base de dominação do presente e o principal fator das divisões sociais" (BAUMAN, p. 121).

Com base na perspectiva de um empregado, isso significa que a segurança ontológica fornecida pelo contrato social entre trabalhadores e empregadores, bem como seu trabalho vitalício desapareceram e foram substituídos por regras do jogo que estão em constantes mudanças. Eventos de carreira, como promoções e demissões, não se baseiam mais em hierarquias claras e estáveis e em regras corporativas, mas podem acontecer impulsiva e aleatoriamente, à medida que a mudança econômica e/ou cultural recente altera o modo de negociação da organização. Nesse contexto, mais e mais responsabilidade é depositada nos empregados com o intuito de que eles sejam mais flexíveis e se adaptem a essas condições de mudança ou de que sejam considerados dinossauros, portanto, dispensáveis. O problema, claro, é que normalmente não há como saber ou compreender qual será a "próxima grande coisa"; logo, os empregados permanecem em um estado constante de desequilíbrio, uma vez que eles seguem na tentativa de serem "bons empregados" sem necessariamente saber os critérios pelos quais estão sendo julgados. Tal insegurança é exacerbada por um clima administrativo no qual o ciclo de vida dos modelos de gestão, nos últimos trinta anos, encolheu de dez para um ano (MICKLETHWAIT; WOOLDRIDGE apud ROSS, 2003, p. 96).

É fácil perceber como esses ciclos de mudanças contínuas podem ter um efeito desgastante no senso de identidade e no "eu" profissional de qualquer empregado, particularmente quando tais ciclos de mudança frequentemente se contradizem. A retórica da gestão pode salientar a necessidade de reinvenção e reengenharia constantes, mas as consequências humanas dessa filosofia podem ter grandes proporções, com demissões em massa e com a desestabilização de famílias e até de comunidades inteiras.

Assim, o estado atual do ambiente político-econômico global significa que a estabilidade e a continuidade são difíceis de ser alcançadas. Certamente, conforme Sennett (1998) aponta, enquanto a incerteza na vida das pessoas costumava ser, em geral, um produto de algum tipo de desastre humano ou natural (guerra, fome, condições climáticas destrutivas etc.), hoje ela está entrelaçada nas práticas diárias do "capitalismo pujante" (SENNETT, 1998). Isso se dá, em parte, porque as ordens do mercado significam que o pensamento de longo prazo é praticamente impossível, e o sucesso é estimado em prazos cada vez menores. As organizações precisam, portanto, acessar constantemente a si próprias e efetuar mudanças (na cultura e estrutura corporativa, nos consumidores-alvo, marcas etc.), quando for considerado necessário. O resultado é que o planejamento de longo prazo tem sido substituído pelo pensamento de curto prazo, frequentemente ditado pelo relatório quinzenal. Antigamente, o sucesso de uma empresa era tradicionalmente conectado à qualidade de seus produtos e serviços; hoje em dia, é mais comum que seja ditado pelo retorno do acionista sobre o investimento – retornos que são medidos quinzenalmente.

Sennett (1998) argumenta também que, por outro lado, esse tipo de pensamento de curto prazo e as mudanças constantes resultam no que ele chama de "corrosão do caráter". Ele afirma que a forte influência da Wall Street e do mercado de ações nas tomadas de decisões corporativas significa que as empresas estão continuamente expandindo e contraindo para atender às demandas do mercado, e os empregados, portanto, tornam-se muito mais dispensáveis. Assim, os valores corporativos tradicionais de confiança, lealdade e comprometimento, compartilhado reciprocamente pelos empregados e suas organizações, têm sido descartados, em detrimento dos próprios empregados e das empresas. Por um lado, as organizações perdem o conhecimento institucional que os empregados de longo prazo desenvolvem, e, por outro, os empregados por si só não são capazes de se engajar em organizações e planejamento de longo prazo que dão às suas vidas um sentido de estabilidade e coerência. Em outras palavras, como expõe Sennett, torna-se difícil para as pessoas desenvolverem uma "narrativa de vida" estável em torno da qual o seu senso de caráter é construído.

Uma ilustração empírica excelente da visão de Sennett sobre o trabalho contemporâneo é fornecida na pesquisa etnográfica de Ho (2009) sobre os banqueiros de investimento da Wall Street. Esse estudo sobre "cultura" de investimento bancário mostra como a Wall Street é movida, por um lado, por uma estratégia de negócio de curto prazo quase desprovida de planejamento de longo prazo, e, por outro, a expectativa de uma devoção completa a uma ética de trabalho em excesso por parte dos empregados. A autora explora como é esperado que os novos empregados (recrutados quase que exclusivamente das oito universidades privadas do nordeste dos Estados Unidos que compõem a Ivy League)[1] dediquem suas vidas inteiras a sua empresa, às vezes trabalhando 100 horas por semana na tentativa de fechar negócios e fazer dinheiro para suas empresas. Além disso, conta como uma identidade de gestão profissional aceitável e apropriada é cuidadosamente definida:

> Em um banco de investimentos a apresentação da pessoa é crucial. Não é de se surpreender que a gama de possibilidades para autorrepresentação é extremamente estreita... A limitação e as fronteiras no repertório da imagem de uma pessoa são mais onerosas e as consequências de perdê-las é muito mais aterrorizante para as mulheres e negros (HO, 2009, p. 120). (Tradução livre)

Contudo, esse notável nível de comprometimento com o trabalho e com o cultivo cuidadoso de uma identidade de Wall Street não é recompensado com segurança no trabalho. Os bancos de investimento de Wall Street são notórios por adotar estratégias de curto prazo (ou, como Ho destaca, nenhuma estratégia), contratando e demitindo pessoas como querem e conforme os modelos de investimento vêm e vão (o recente fiasco da hipoteca é um grande exemplo disso). Como resultado, os empregados podem elevar seus níveis de comprometimento ao extremo, mas ainda se encontrarem sem trabalho. Com certeza, a insegurança no trabalho é praticamente construída dentro da cultura de Wall Street.

Conforme Ho salienta, é impossível viver uma vida normal e equilibrada sob essas pressões de trabalho. Os empregados de Wall Street são, em geral, jovens, solteiros e preparados para subir na vida a qualquer

---

[1] Em tradução livre: Liga de Hera. O nome faz referência a um tipo de planta trepadeira do gênero Hedera, que recobre vários dos prédios históricos dessas instituições.

preço e fazer suas fortunas antes de completar 40 anos de idade. Assim, seu comprometimento e desenvolvimento de "identidades conformistas" (COLLINSON, 2003) podem frequentemente resultar em doenças decorrentes do estresse no trabalho e das longas horas trabalhadas, bem como um sentido extremamente distorcido das prioridades da vida.

Os banqueiros de investimento de Wall Street talvez sejam um exemplo extremo de dedicação (embora com interesses próprios) ao trabalho. Contudo, não é incomum as pessoas adotarem tal abordagem de trabalho, subordinando todos os aspectos da vida da pessoa para projetar uma "carreira". Em seu estudo sobre contadores, por exemplo, Grey mostra que, à medida que uma pessoa se torna bem-sucedida, "torna-se necessário sublimar a vida inteira da pessoa para o desenvolvimento de uma carreira. Os amigos tornam-se 'contatos', e as atividades sociais se transformam em *networking*... A transformação da esfera fora do trabalho em um aspecto específico do desenvolvimento da carreira é vista como crucial para o sucesso" (1994, p. 492).

Nesse sentido, os estudos pós-modernos das organizações exploram não somente a transformação do trabalho em si, mas a mudança concomitante no caráter do sujeito que trabalha, de uma narrativa de vida relativamente estável e coerente que se baseia no pertencimento de classe e no contrato social de trabalho para um trabalho individual desestabilizado continuamente em busca de um sentido nunca-bem-percebido de segurança ontológica (GIDDENS, 1991). Para concluir, sugerem-se a seguir as implicações dessas duas visões de poder e organização no que se refere aos estudos de cultura organizacional.

Considerações finais

É importante comparar brevemente os estudos dos autores Collinson (discutidos na seção anterior) e Ho, porque, de várias formas, ambos capturam as transformações pelas quais o trabalho e a organização têm passado nos últimos vinte anos. De diversos modos, o estudo de Collinson incorpora a cultura de trabalho fordista, a modernidade pesada, enquanto os banqueiros de investimento de Ho resumem as novas realidades da modernidade líquida pós-Fordista. Com base na perspectiva do poder, os trabalhadores de Collinson têm uma noção nítida de suas lealdades, da natureza de seus trabalhos (e seu sentido de masculinidade), bem como um entendimento claro sobre quem é o inimigo (gestão). Suas resistências à cultura organizacional imposta pelos gerentes surgem, em parte, de um sentido forte de classe e identidade de trabalho, e, em parte, de um sentido forte de sua localização espacial em um local específico de trabalho e do reconhecimento que os gestores e os empregados estão "fadados a permanecer na empresa um do outro por um longo período de tempo" (embora, ironicamente, demissões em massa e fechamentos ocorreram não muito depois de Collinson ter concluído seu estudo). Tal reconhecimento lida com um sentido forte de identidade de trabalho enraizada na classe, no gênero e no conjunto de habilidades ocupacionais.

O estudo de Ho, diferente do de Collinson, ilustra a "modernidade líquida" a pleno vapor. Aqui, apesar das longas horas trabalhadas, há um baixo comprometimento dos empregados com a empresa (ou vice-versa) e, com certeza, há o reconhecimento de que ser um "agente livre" e transferir-se frequentemente de uma empresa para outra é uma prática padrão. Como Sennett (1998, p. 25) argumenta, "desconexão e cooperação superficial são uma armadura melhor para lidar com as realidades atuais do que o comportamento baseado em valores de lealdade e serviço". O capitalismo de curto prazo que fundamenta essas práticas tem corroído as qualidades que entrelaçam os humanos uns aos outros, e que provê um sentido sustentável do "eu" e uma narrativa de vida coerente. Como Ross (2003, p. 217) indica em linha similar, começando nos anos 1990: "Uma demissão não era mais o oposto de emprego; era um aspecto rotineiro do trabalho na América e era quase entendida como parte da descrição do trabalho."

O resultado dessa mudança de pesado para leve, ou modernidade "líquida", é que atualmente é muito mais difícil falar sobre e analisar a "cultura organizacional" nos mesmos termos que fizemos em 1980. Em parte, o objeto de estudo perdeu sua coerência e estabilidade; ele é um alvo em movimento que está constantemente mudando seu formato sob a égide da nova economia. Além disso, não é do interesse dos próprios empregados, conforme querem os empregadores, criar identificação e comprometimento entre eles.

Tal mudança sugere a necessidade de análises muito mais rápidas da relação entre poder e organização. Está cada vez mais difícil estudar as culturas organizacionais como sistemas relativamente estáveis de significado e identidade. Estudos como a análise de Ross (2003) sobre os operários de chão de fábrica que explora não somente o ambiente econômico em transformação, mas também a mudança no que significa trabalhar de forma correta dá algumas direções para a pesquisa futura. A análise de Fleming (2009) dos esforços corporativos para apropriar e controlar a "autenticidade" do empregado em seu local de trabalho sugere outra orientação potencialmente profícua, dada sua tentativa de explorar os colapsos contínuos de qualquer sentido de identidade coerente que é imune à influência corporativa.

Por fim, a questão é: dadas as novas realidades de trabalho e economia, a noção de "cultura organizacional" ainda é útil, particularmente se pensarmos nesse constructo como reflexo de um local de organização específico? Enquanto pensarmos na cultura organizacional como detentora de uma estabilidade ontológica específica, sua utilidade como um constructo atingiu seu objetivo. Por outro lado, se pensarmos na cultura organizacional não tanto como um local estável ou lugar de construção de significado, mas como uma confluência complexa de discursos de níveis micro e macro, identidades de trabalho e recursos políticos, econômicos e materiais, o termo cultura organizacional será capaz de capturar as nuances e as contradições da organização moderna em sua forma "líquida" atual.

Referências

ALTHUSSER, L. *Lenin and philosophy*. Nova York: Monthly Review Press, 1971.

ALVESSON, M.; DEETZ, S. Critical theory and postmodernism approaches to organizational studies. In: CLEGG, S.; HARDY, C.; NORD, W. (eds.). *The handbook of organization studies*. Thousand Oaks, CA: Sage, 1996. p. 191-217.

BACHRACH, P.; BARATZ, M. Two faces of power. *American Political Science Review*, v. 56, p. 947-952, 1962.

BARKER, J. R. Tightening the iron cage: concertive control in self-managing teams. *Administrative Science Quarterly*, v. 38, p. 408-437, 1993.

____________. *The discipline of teamwork*: participation and concertive control. Thousand Oaks, CA: Sage, 1999.

BAUMAN, Z. *Liquid modernity*. Cambridge, RU: Polity Press, 2000.

BOJE, D. The storytelling organization: a study of story performance in an office-supply firm. *Administrative Science Quarterly*, v. 36, p. 106-126, 1991.

BROWN, A. D. Narrative, politics and legitimacy in an IT implementation. *Journal of Management Studies*, v. 35, p. 35-58, 1998.

BURAWOY, M. *Manufacturing consent*: changes in the labor process under monopoly capitalism. Chicago: University of Chicago Press, 1979.

CASEY, C. *Work, self and society*: after industrialism. Londres: Sage, 1995.

CLEGG, S. *Power, rule, and domination*. Nova York: Routledge & Kegan Paul, 1975.

__________. *Frameworks of power*. Newbury Park, CA: Sage, 1989.

CLEGG, S.; COURPASSON, D.; PHILLIPS, N. *Power and organizations*. Thousand Oaks, CA: Sage, 2006.

COLLINSON, D. "Engineering humor": masculinity, joking and conflict in shop-floor relations. *Organization Studies,* v. 9, p. 181-199, 1988.

______________. *Managing the shop floor*: subjectivity, masculinity, and workplace culture. Nova York: De Gruyter, 1992.

COLLINSON, D. Identities and insecurities: selves at work. *Organization*, v. 10, p. 527-547, 2003.

DAHL, R. The concept of power. *Behavioral Science*, v. 2, p. 201-215, 1957.

DEETZ, S.; MUMBY, D. K. Metaphors, information, and power. In: RUBEN, B. (ed.). *Information and behavior*. New Brunswick, NJ: Transaction, 1985. v. 1, p. 369-386.

EAGLETON, T. *Ideology*: an introduction. Londres: Verso, 1991.

FLEMING, P. *Authenticity and the cultural politics of work*: new forms of informal control. Nova York: Oxford University Press, 2009.

FLEMING, P.; SPICER, A. Working at a cynical distance: implications for power, subjectivity, and resistance. *Organization*, v. 10, p. 157-179, 2003.

FOUCAULT, M. *Discipline and punish*: the birth of the prison. Nova York: Vintage, 1979. (Traduzido por SHERIDAN, A.)

GIDDENS, A. *Central problems in social theory*: action, structure and contradiction in social analysis. Berkeley: University of California Press, 1979.

____________. *Modernity and self-identity*: self and society in the late modern age. Stanford, CA: Stanford University Press, 1991.

GRAMSCI, A. *Selections from the prison notebooks*. Nova York: International Publishers, 1971. (Traduzido por HOARE, Q.; SMITH, G. N.)

GREY, C. Career as a project of the self and labour process discipline. *Sociology*, v. 28, p. 479-497, 1994.

HALL, S. The problem of ideology: marxism without guarantees. In: MATTHEWS, B. (ed.). *Marx:* 100 years on. Londres: Lawrence & Wishart, 1983. p. 57-84.

_________. Signification, representation, ideology: althusser and the poststructuralist debates. *Critical Studies in Mass Communication*, v. 2, p. 91-114, 1985.

HATCH, M. J. Irony and the social construction of contradiction in the humor of a management team. *Organization Science*, v. 8, p. 275-288, 1997.

HELMER, J. Storytelling in the creation and maintenance of organizational tension and stratification. *The Southern Communication Journal*, v. 59, p. 34-44, 1993.

HO, K. *Liquidated*: an ethnography of Wall Street. Durham, NC: Duke University Press, 2009.

HOLMER NADESAN, M. Constructing paper dolls: the discourse of personality testing in organizational practice. *Communication Theory*, v. 7, p. 189-218, 1997.

HOLMES, J. Politeness, power and provocation: how humour functions in the workplace. *Discourse Studies*, v. 2, p. 159-185, 2000.

__________. *Gendered talk at work*: constructing gender identity through workplace discourse. Malden, MA: Blackwell, 2006.

HUSPEK, M.; KENDALL, K. On withholding political voice: an analysis of the political vocabulary of a "nonpolitical" speech community. *The Quarterly Journal of Speech*, v. 77, p. 1-19, 1991.

KUNDA, G. *Engineering culture*: control and commitment in a high-tech corporation. Philadelphia: Temple University Press, 1992.

LINSTEAD, S. Jokers wild: the importance of humour in the maintenance of organizational culture. *The Sociological Review*, v. 33, p. 741-767, 1985.

LUKES, S. *Power*: a radical view. Londres: MacMillan, 1974.

MARX, K. *Capital*. Nova York: International Publishers, 1967. (Traduzido por MOORE, S.; AVELING, E.)

MUMBY, D. K. The political function of narrative in organizations. *Communication Monographs*, v. 54, p. 113-127, 1987.

____________ . The problem of hegemony: rereading Gramsci for organizational communication studies. *Western Journal of Communication*, v. 61, p. 343-375, 1997.

____________ . Power and politics. In: JABLIN, F.; PUTNAM, L. L. (eds.). *The new handbook of organizational communication*: advances in theory, research, and methods. Thousand Oaks, CA: Sage, 2001. p. 585-623.

____________ . (ed.). *Narrative and social control*: critical perspectives. Newbury Park, CA: Sage, 1993.

MUMBY, D. K.; STOHL, C. Power and discourse in organization studies: absence and the dialectic of control. *Discourse & Society*, v. 2, p. 313-332, 1992.

PETERS, T.; WATERMAN, R. M. *In search of excellence*. Nova York: Harper & Row, 1982.

PFEFFER, J. *Power in organizations*. Cambridge, MA: Ballinger Publishing, 1981.

RHODES, C.; WESTWOOD, R. (eds.). *Humor, organization, and work.* Londres: Routledge, 2007.

ROSEN, M. "Breakfast at Spiro's": dramaturgy and dominance. *Journal of Management*, v. 11, n. 2, p. 31-48, 1985.

__________ . You asked for it: christmas at the bosses expense. *Journal of Management Studies*, v. 25, p. 463-480, 1988.

ROSS, A. *No-Collar*: the humane workpace and its hidden costs. Nova York: Basic Books, 2003.

________ . The new geography of work: power to the precarious? *Theory, Culture & Society*, v. 25, n. 7-8, p. 31-49, 2008.

SENNETT, R. *The corrosion of character*: the personal consequences of work in the new capitalism. Nova York: W.W. Norton, 1998.

SMITH, F. L.; KEYTON, J. Organizational storytelling: metaphors for relational power and identity struggles. *Management Communication Quarterly*, v. 15, p. 149-182, 2001.

SMITH, R.; EISENBERG, E. Conflict at Disneyland: a root metaphor analysis. *Communication Monographs*, v. 54, p. 367-380, 1987.

TAYLOR, P.; BAIN, P. Subterranean worksick blues: humour as subversion in two call centres. *Organization Studies*, v. 24, p. 1487-1509, 2003.

TOMPKINS, P. K.; CHENEY, G. Communication and unobtrusive control in contemporary organizations. In: MCPHEE; R. D.; TOMPKINS, P. K. (eds.). *Organizational communication*: traditional themes and new directions. Beverly Hills, CA: Sage, 1985. p. 179-210.

VAN DIJK, T. A. Principles of critical discourse analysis. *Discourse and Society*, v. 4, p. 249-283, 1993.

WITTEN, M. Narrative and the culture of obedience at the workplace. In: MUMBY, D. K. (ed.). *Narrative and social control*: critical perspectives. Newbury Park, CA: Sage, 1993. p. 97-118.

UMA VISÃO FEMINISTA PARA CULTURA ORGANIZACIONAL

Patrice M. Buzzanell
Daniel Stuart Wilbur

A cultura organizacional é considerada um aspecto distintivo de uma coletividade específica. A cultura é tão onipresente que normalmente é tida como certa. Como resultado disso, a cultura organizacional opera como um sistema de significado que fundamenta muito do que os membros acreditam ser apropriado para eles fazerem, mas não é analisada criticamente com frequência. Ainda assim, exceções do processo habitual e da construção das culturas organizacionais são constantes, embora não sejam necessariamente rotuladas como tais. Essas exceções incluem ocasiões em que as crises estouram, quando há esforços de mudanças de gestão e planejamentos estratégicos, ou quando um membro organizacional, ou outro *stakeholder*, precisa compreender algum evento ou observação cultural. Por exemplo, o caso de alegação de má conduta sexual feita por oficiais esportivos na Universidade Estadual da Pensilvânia, nos Estados Unidos, no final de 2011, incitou questões sobre as culturas nas instituições de ensino superior de dentro da academia (WOLVERTON, 2011) e da mídia popular (ROEBUCK, 2011). Sob quais aspectos estruturas e processos de culturas organizacionais específicas podem permitir que suspeitas de atividades criminais contra crianças não sejam notificadas?

As respostas para essa questão podem, superficialmente, parecer razoavelmente fáceis. Contudo, quando examinada teórica e sistematicamente, a cultura organizacional pode ser descrita de maneiras diferentes e complexas que levam a análises e soluções variadas (EISENBERG; RILEY, 2001). As culturas podem ser vistas como unificadas, confrontadoras ou fragmentadas (MARTIN, 1992), niveladas de acordo com artefatos, símbolos, e crenças e pressuposições essenciais (SCHEIN, 1984; 1985), ou examinadas com cuidado para possibilidades de mudanças em formas desejáveis pelos líderes da diretoria (para obter abordagens funcionais da cultura, consulte DEAL; KENNEDY, 1982; PETERS; WATERMAN, 1982). A cultura organizacional também pode ser investigada para desvelar os processos simbólicos profundamente embutidos que fundamentam as premissas de decisão e as ações do cotidiano (SMITH; EISENBERG, 1987; PACANOWSKY; O'DONNELL-TRUJILLO, 1982). Nessas abordagens mais interpretativas, críticas ou pós-modernas, o foco é menos na mudança de cima para baixo e mais na compreensão e na crítica. Especificamente, essas lentes de cultura organizacional interpretativas, críticas, e pós-modernas são treinadas em empresas específicas, ONGs, negócios, instituições e outras coletividades para desenvolver um entendimento. O entendimento fornece *insight* para as experiências vividas dos membros organizacionais em seus cotidianos, bem como a inclusão (ou a falta dela) dos *stakeholders* nas políticas, nas estruturas e nas práticas específicas de estabelecimentos particulares. Os pesquisadores se engajam nessas análises culturais com base em discursos de representação e compreensão, bem como em discursos de suspeita (em busca de níveis profundos de conflitos e contradições) e vulnerabilidade (lutas para articular políticas e verdades) (MUMBY, 1997). Ao utilizar essas diferentes lentes simultaneamente, uma visão cautelosa da cultura organizacional pode ser constatada e utilizada.

Uma abordagem feminista para a cultura organizacional leva essas perspectivas funcionais, interpretativas, críticas e pós-modernas um passo além. A pesquisa da cultura organizacional feminista defende a mudança que beneficia as mulheres e os membros de grupos vulneráveis e sub-representados (BUZZANELL et al. 2009). Sustentamos a ideia de que o que torna "feminista" uma lente de cultura organizacional é a abordagem ética distinta da cultura que resulta de uma obrigação moral e de um papel defensor inerente ao feminismo (BUZZANELL, 1994). Sob uma visão funcional da cultura organizacional, por exemplo, a cultura é considerada uma ferramenta para manter a organização funcionando de forma mais eficiente; ou seja, a cultura é algo que uma organização "tem". Essa visão pode ser utilizada para propósitos comerciais pelos membros organizacionais. De uma perspectiva interpretativa, todavia, a cultura é uma realização contínua dos membros organizacionais, produzida e reproduzida por meio da comunicação (PACANOWSKY; O'DONNELL-TRUJILLO, 1982). Dessa forma, a cultura "é", então, a organização. Embora críticos de visões interpretativas possam alertar sobre as análises simplistas ou ausentes de questões como poder, política, controle, agência e resistência, a abordagem fornece sim *insight* sobre o que os membros dizem e fazem, à medida que eles desempenham suas culturas organizacionais. Uma visão interpretativa pode, então, documentar a produção de culturas dos membros que eles constituem dentro e além de seus limites organizacionais percebidos.

Considerando a natureza de uma cultura organizacional feminista, sugerimos que uma cultura é o que a organização "deveria ser". Essa concepção implica considerações éticas ou discursos de defesa – monitorando, desafiando e transformando as pretensões de processos de operação ordinários ao (re)criar culturas que fortalecem os *stakeholders*, abraçam inclusões e, constantemente, pensam além das responsabilidades e nas consequências do *organizing*. Para examinar a cultura organizacional feminista: (1) apresentamos um quadro de referência da cultura organizacional feminista; (2) examinamos como as abordagens e os achados da pesquisa de cultura organizacional podem diferir quando reconsideradas por meio das lentes feministas; e (3) sugerimos possibilidades para a pesquisa e para a práxis da cultura organizacional feminista. Nossa contribuição principal consiste no sistema analítico multinível que sobrepõe os processos éticos discursivos feministas (BUZZANELL, 2011) previamente aos modelos de cultura organizacional (por exemplo, SCHEIN, 1985) e aos quadros de referência sobre discurso-*organizing*-gênero (ASHCRAFT; MUMBY, 2004). Essa contribuição é teórica e pragmática. Esse sistema de análise multinível pode ajudar a evitar as crises que emergem quando os *stakeholders* ignoram suas responsabilidades, como o que aconteceu, de acordo com as investigações preliminares, no escândalo da Universidade Estadual da Pensilvânia.

Quadro de referência da cultura organizacional feminista

Um quadro de referência da cultura organizacional feminista começa com o pressuposto de que são muitos os pontos de entradas e metodologias que podem auxiliar os pesquisadores e os praticantes em esforços de mudança. Esses pontos de entrada podem envolver iniciativas *top-down* (KANTER; ROESSNER, 2003a, 2003b) e *bottom-up*, ou de base para a transformação feminista (ASHCRAFT, 2001; PAPA et al., 2000).

Eles podem ser explicitamente feministas ou centrados-na-mulher (BUZZANELL et al., 1997; PARKER, 2001). Podem incluir a averiguação das escolhas de linguagem, valores e dinâmicas de *organizing* mais amplas (BUZZANELL, 1994; ASHCRAFT, 2001; PARKER, 2001). Possibilitam também o exame das barreiras e das oportunidades estruturais (ACKER, 1999; 2009; KANTER, 1977), as dinâmicas ocupacionais de inclusão/exclusão (KISSELBURGH; BERKELAAR; BUZZANELL, 2009) e redes feministas transnacionais (D'ENBEAU, 2011). As metodologias percorrem desde a averiguação da conversa em interação (ASHCRAFT; KUHN; COOREN, 2009) a metanálises de grupos ocupacionais e análise secundária de banco de dados de políticas (EAGLY; CARLI, 2007; EAGLY; JOHANNESEN-SCHMIDT, 2001; MANDEL; SEMYONOV, 2005).

O importante aqui é observar que os estudos de cultura organizacional e seus achados utilizados para construir os resultados comunicativos e materiais das culturas organizacionais e ocupacionais, empregam bases metateóricas e metodológicas diferentes. Também é importante destacar que esses estudos demonstram que o mundo tem uma divisão de gêneros que, em geral, subestima as contribuições das mulheres. Além disso, o gênero intercepta com outras formas de diferença, tais como raça ou etnia, classe, orientação sexual e nacionalidade (DAVIS, 2008). Em outras palavras, o gênero é disseminado na cultura organizacional. Um quadro de referência de cultura organizacional feminista, no entanto, parte do pressuposto de que a defesa para a mudança dentro das culturas organizacionais é uma obrigação moral (BUZZANELL, 1994).

Como a pesquisa em cultura organizacional difere quando utiliza as lentes feministas

Para demonstrar como a pesquisa em cultura organizacional pode diferir quando abordada por meio das lentes feministas, elaboramos uma abordagem multinível que: (1) interroga a cultura organizacional; (2) perpassa o gênero; e (3) sobrepõe e integra os feminismos. Reunimos exemplos de diferentes culturas organizacionais ocidentais. Ao fazê-lo, mostramos como a conversa na interação e os discursos macro ou societários mutuamente produzem uma organização de gênero que pode criar desvantagens ou instigar os interesses das mulheres. Os mesmos processos utilizados podem ser aplicados a culturas organizacionais e ocupacionais específicas, bem como a outras coletividades e fenômenos de gênero como um todo.

Primeiro, para **interrogar a cultura organizacional**, foi empregado o modelo de cultura organizacional de Schein (1984; 1985). O modelo de Schein tem três níveis: artefatos, valores e pressupostos subjacentes. A opção por esses níveis se deu pelo fato de esse ser o sistema mais conhecido nos estudos de cultura organizacional e por ele não ter um objetivo ideológico.[1] Sua utilidade está em documentar as bases materiais, discursivas e ideológicas da cultura organizacional. No modelo de Schein, os artefatos são características observáveis de uma organização e da forma como é organizada. Os artefatos podem consistir em fotos de escritório, arrumações e tecnologias físicas, bem como em outros aspectos que são aparentes por meio dos sentidos. Em outras palavras, os artefatos são as partes observáveis do ambiente organizacional, bem como aqueles aspectos que, para membros culturais e visitantes, têm cheiros, sons, texturas ou luz distintos. Então, por exemplo, no estudo de Ashcraft (2000) sobre a SAFE, uma organização feminista que trabalha para ajudar sobreviventes de abuso doméstico, um código de conduta e um sistema para a comunicação ética e de poder eram proeminentemente indicados no manual de treinamento para empregados e voluntários. Princípios foram formalizados e codificados. Contudo, essa seção do manual (artefato) foi acoplada a práticas do cotidiano de compartilhamento pessoal e análise dos membros sobre dilemas éticos caso a caso. Os procedimentos éticos da SAFE foram reformulados em princípios básicos para os limites das relações que nunca haviam sido formalizados no papel. Aqui, afirmações éticas no manual e a falta de documentação formal são artefatos culturais importantes. Suas significâncias estão em seu uso como "política" e como uma manutenção de valores e tomada de decisão sobre formas de lidar com dilemas. De modo similar, a adoção de uniformes para pilotos e outros integrantes da tripulação ajudaram a promover a aviação como uma ocupação profissional e segura com, por exemplo, uniformes para os oficiais militares, manuais de controle, programas de acreditação e concessão de títulos, como capitães, para pilotos do sexo masculino (ASHCRAFT; MUMBY, 2004).

O segundo nível de Schein (1985), os valores, inclui os princípios, os padrões e as normas seguidas por muitos membros. Nos casos

[1] As três lentes da cultura de Martin (1992) – integração, diferenciação e fragmentação – têm a mesma aparência não ideológica, mas exigem que os pesquisadores acessem a cultura de diferentes abordagens epistemológicas, ontológicas e metodológicas (Quadro 4.1). Semelhante ao modelo de Schein, mas sob um ponto de vista comunicativo, Pacanowsky e O'Donnell-Trujillo (1982) oferecem indicadores de pesquisa que variam em sua natureza material-discursiva, mas que requerem perspectivas interpretativas. Os sete indicadores fornecem pontos de início para compreensões culturais: constructos, práticas, vocabulário, histórias, metáforas, ritos e rituais, e fatos relevantes.

de Buzzanell et al. (1997) sobre associações de acolchoados e cooperativas de alimentos, ambos organizados sob visões não burocráticas que se voltavam à diversidade e à inclusão (de pessoas com conhecimento em acolchoamento e preferências alimentares). De modo similar, os valores da SAFE são evidentes em suas constatações sobre as relações ideais e apropriadas dos membros – relações personalizadas de trabalho, autocapacitação e respeito – que mantinham empregados e voluntários nos padrões de profissionalismo personalizado (ASHCRAFT, 2000).

O terceiro nível de Schein (1985) consiste em pressupostos subjacentes, premissas de decisão e acordos tácitos que guiam a conversa e a interação mundana. A mudança nos processos de liderança/seguidores, as reuniões abertas da associação de acolchoados e *open-houses* das cooperativas de alimentos, significam, em parte, que os membros queriam que outros integrantes de sua organização e comunidade entendessem e valorizassem a arte do acolchoamento e a ideia de que as pessoas poderiam fazer diversas escolhas sobre alimentos.[2] Fundamentalmente, a crença essencial subjacente às culturas era a de que deveria haver estruturas e processos participatórios fluentes. De forma semelhante, os pressupostos tácitos subjacentes às premissas de decisão dos membros da SAFE articuladas pela pesquisadora Karen Ashcraft (2000) eram inerentemente contraditórios, irônicos e fundamentados nos princípios feministas, bem como havia a desconfiança "e a relutância violenta para as consequências de poder coercitivo" associadas à violência doméstica (op. cit., p. 379). A análise de pressupostos subjacentes em culturas organizacionais e ocupacionais também é útil para as compreensões das mulheres sobre liderança e sistemas avançados. Sabattini (2011) descreve as regras não escritas que as mulheres, às vezes, não adquirem para o avanço. Os respondentes em seu estudo se referiram às regras não escritas mais importantes como:

» comunicação e *feedback*;

» desempenho e resultados;

» planejamento de carreira;

» visibilidade aumentada;

[2] Consulte Buzzanell et al. (1997). Para ver mudanças de liderança/seguidores, consulte Ashcraft (2001).

» construção de relacionamentos; e

» trabalhar muitas horas seguidas.

Embora essas regras sejam essenciais para a progressão de carreira das mulheres, as mulheres perceberam que elas devem ser aprendidas por meio de métodos, tais como observando como as coisas funcionam e observando os outros.

Em suma, em nosso primeiro nível de análise da cultura organizacional, nosso "interrogatório" ou análise de cultura, os pesquisadores e os praticantes identificam as bases relativas a pressupostos, materiais e normativas para as culturas. Enquanto os três níveis de cultura de Schein (1984, 1985) podem ser modificados para examinar o gênero, uma abordagem de gênero mais explicitamente possibilita a investigação de manifestações de gênero diversas e profundas. Como resultado, seguimos para a segunda fase em nosso sistema cultural organizacional feminista, **perpassar o gênero**. Para perpassar o gênero ou torná-lo mais proeminente em nossa análise cultural, adotamos como respaldo os quadros de gênero, organização e discurso de Ashcraft e Mumby (2004)[3] (Quadro 4.1). Os quatro quadros – de resultado (diferenças de gênero), desempenho (o fazer do gênero), dialética texto-conversação (processos de *organizing* do gênero) e texto social (macronarrativas do gênero ou teorias) – direcionam o olhar dos analistas de cultura para produtos de gênero específicos, ou consequências, e processos.

[3] Consulte também (ASHCRAFT, 2004).

Quadro 4.1 – Gênero e lentes feministas para estudar a cultura organizacional

CENÁRIO [A]	VISÃO DO DISCURSO	VISÃO DO GÊNERO	VISÃO DA ORGANIZAÇÃO	NÍVEL/FOCO DO DISCURSO
Resultado: o *gênero* organiza o discurso.	Estilo de comunicação; um efeito do gênero.	Identidade individual e sociedade cultural, socializada e estável.	Local físico do trabalho, no qual padrões de discurso de gênero previsíveis são manifestados.	Variações dos tipos micro e sistemáticas em hábitos de comunicação pessoal, tomadas para refletir a identidade de gênero.
Desempenho: o *discurso* organiza o gênero.	Interação mundana (e narrativas de contexto específico que a guiam); constitutiva.	Identidade individual, constantemente negociada; um efeito do discurso.	Local físico do trabalho, no qual o gênero é continuamente (des)estabilizado.	Manutenção dos tipos micro e contínua da identidade por meio da reprodução interativa de diferença de gênero.
Dialética texto--conversação: a *organização* causa o discurso.	Narrativas incorporadas na forma organizacional e constituídas na ação e em interações mundanas; constitutiva.	Relações de controle; meios e efeito da organização.	Sujeito e objeto do discurso de gênero; local físico do trabalho.	Construção em níveis meso e institucional das relações de gênero.
Texto social: o *discurso* causa a organização.	Narrativas incorporadas em representações sociais da organização; constitutiva.	Subjetividades possíveis, relações e práticas; efeitos do discurso.	Sujeito e objeto do discurso de gênero.	Macroconstrução de relações de trabalho de gênero em locais de prática "extraorganizacionais" (especialmente em bolsa de estudos e cultura popular).

[A] Adaptado de Ashcraft (2004); Ashcraft; Mumby (2004).

CENÁRIO [B]	VISÃO DO DISCURSO	VISÃO DO GÊNERO	VISÃO DA ORGANIZAÇÃO	NÍVEL/FOCO DO DISCURSO
Cultura organizacional: uma orientação socialmente compartilhada para a realidade social criada por meio da negociação de significado e o uso do simbolismo na interação social.	A cultura fornece um subtexto para o uso da linguagem – um entendimento pré-estruturado e uma inclinação para ler o discurso de uma forma específica. O discurso enquadra e constitui a identidade e elementos em subjetividade por meio de atos de comunicação específicos e também expressa o micropoder.	Ideologias de gênero (juntamente com outros macroelementos) expõem suas impressões na vida organizacional. A produção local de cultura é dificultada ou informada por forças maiores (por exemplo, ideologias de gênero) e afiliações.	Socialmente compartilhada – intersubjetiva – experiência.	Macroelementos expõem suas impressões na vida organizacional (por exemplo, profissões, mídia de massa, movimentos sociais e ideologias de gênero). A produção em níveis micro/local de cultura é dificultada ou informada por forças maiores e afiliações.

[B] Adaptado de Alvesson (2004).

CENÁRIO [c]	VISÃO DO DISCURSO	VISÃO DO GÊNERO	VISÃO DA ORGANIZAÇÃO	NÍVEL/FOCO DO DISCURSO
Ética discursiva feminista: seis processos inter-relacionados que possibilitam que os participantes e outros *stakeholders* posicionem o gênero como fundamental para considerações éticas dentro e por meio dos contextos de comunicação. 1. Contexto de construção social. 2. Promoção de diálogo por meio de valores humanos. 3. Visão desenhada. 4. Reenquadramento. 5. Iteratividade incorporada. 6. Transparência dos processos e dos resultados.	O discurso fornece a imagem mais fluida da comunicação e da ética porque ele enfatiza o processo, visualiza as estruturas que continuamente se redesenham e idealiza a mudança em múltiplos níveis por meio da ação colaborativa dentro de contextos específicos.	As hierarquias de gênero baseiam-se em processos dialéticos feministas (por exemplo, assistência à justiça, moral e ético, abstrato e contexto, direitos humanos individuais, público e privado, sustentável e efêmero e cultura sensitiva-centralizada, e comunidade e individual), nos quais o masculino geralmente domina o feminino. Relações de gênero de poder continuam a desvalorizar o feminino nas conversas do dia a dia (discurso) e as formações culturais ou macrodiscursos (discurso).	Séries múltiplas de tensões dialéticas e subdialéticas com possibilidades para respostas produtivas (por exemplo, iteratividade incorporada, que implica um contexto de construção social, promovendo diálogo por meio de valores humanos, uma visão desenhada, e reenquadrada). Processos e resultados deveriam ser transparentes.	Micro: o feminino é desvalorizado no discurso. Macro: o feminino é desvalorizado no discurso. A ética do discurso feminista transcende dualismos ao propor processos e estruturas fluidas capazes de acomodar as inconsistências e as tensões nos níveis micro e macro.

[c] Adaptado de Buzzanell (2011).

CENÁRIO [D]	VISÃO DO DISCURSO	VISÃO DO GÊNERO	VISÃO DA ORGANIZAÇÃO	NÍVEL/FOCO DO DISCURSO
Estudos de Integração: cultura é o que as pessoas compartilham no nível organizacional – que está claro. Relações entre uma manifestação cultural e outra são descritas como consistentes.	O discurso alcança o consenso e exclui a ambiguidade.	Valor que unifica. O gênero é transcendido por conta do consenso – desvia da diferença ao cercá-la.	Organização-consenso amplo: unidade cultural pode levar a uma melhor efetividade organizacional.	Meso: o que é compartilhado no nível organizacional (e único para contextos particulares).
Estudos de diferenciação: cultura é o que as pessoas compartilham no nível do grupo. Relações entre uma manifestação cultural e outra são descritas como inconsistentes – uma interpretação de uma manifestação diretamente contradiz outras interpretações.	O discurso cria subculturas e canais de ambiguidade para o nível organizacional.	Valor que diferencia. Pensamento oposto/dicotomias definem diferenças subculturais – cada pessoa é cúmplice em relações de dominação.	Consenso subcultural: organizações são cheias de inconsistências e tendem a não entrar em consenso; construir valor pode ser antiético; ou a expressão de conflito pode ser construtiva.	Micro: o que é compartilhado no nível do grupo, concentrando-se no consenso dentro das subculturas.

Continua

Continuação

CENÁRIO [D]	VISÃO DO DISCURSO	VISÃO DO GÊNERO	VISÃO DA ORGANIZAÇÃO	NÍVEL/FOCO DO DISCURSO
Estudos de fragmentação: a cultura é uma selva, ou uma rede de ambiguidade. Relações entre uma manifestação cultural e outra são conceitualizadas em termos multivalentes, como parcialmente congruentes, parcialmente incongruentes, e parcialmente relacionadas por conexões tangenciais e, talvez, aleatórias.	A ambiguidade é socialmente construída por meio do discurso. O significado emerge de um processo de adiamento.	Complexidade do valor. Diferença: interrogar oposições binárias porque existe apenas uma forma de ser o mesmo, mas várias formas de ser diferente.	Multiplicidade de visões (sem consenso): organizações são constituídas-na-ação por meio da ambiguidade.	Micro-meso: uma rede de indivíduos, esporadicamente e frouxamente conectados por suas posições mutáveis em uma variedade de questões cujo envolvimento, identidades culturais e autodefinições individuais flutuam, dependendo de quais questões são ativadas em determinado momento.

[D] Adaptado de Martin (1992).

Carreiras em culturas organizacionais, por exemplo, oferecem um lugar em que as trajetórias ou caminhos de carreiras, histórias, processos espaço-temporais, identidades, desenvolvimento de carreira, respostas à ambição e resultados referentes a indicadores extrínsecos e subjetivos de "sucesso" de homens e mulheres são marcadamente diferentes (para ver exemplos, consulte BUZZANELL; GOLDZWIG, 1991; BUZZANELL; LUCAS, 2006; FELS, 2004). Essas diferenças tornam-se particularmente perceptíveis quando as mulheres engravidam e geralmente sentem que elas devem escolher entre diversas opções de carreira e vida pessoal (BUZZANELL; LIU, 2005; MARTIN, 1992; MONOSSON, 2008; HAYDEN; O'BRIEN HALLSTEIN, 2010). Para mulheres atuantes nas áreas de Ciência, Tecnologia, Engenharia e Matemática (CTEM), a cultura masculina é especialmente problemática. Em muitas disciplinas e ambientes organizacionais de CTEM, culturas de exclusão são encontradas na natureza dos trabalhos (por exemplo, o método científico e longas horas nos laboratórios) e na carreira (requerimentos para experiência de pós-doutorado que alongam o tempo para uma promoção e para tornar-se professor sênior), bem como experiências do lar que ainda evidenciam divisões desiguais no trabalho doméstico (consulte KISSELBURGH et al., 2009). Um sistema multifacetado como o oferecido por Ashcraft e Mumby (2004)[4] (ver Quadro 4.1) encoraja a exploração de muitos resultados e processos organizacionais de gênero.

Por fim, um sistema cultural organizacional feminista explicitamente **sobrepõe e integra feminismos** para se engajarem nos dilemas éticos do cotidiano que é, faz e organiza conforme as demandas feministas. Aqui, prosseguimos na identificação e análise das camadas culturais (primeira camada analítica da cultura organizacional) e das interseções entre gênero, organização e discurso (segunda camada analítica da cultura organizacional) para questionar a ética e o comportamento humano (terceira camada analítica da cultura organizacional). Uma abordagem do discurso feminista utiliza o poder da linguagem e da interação para dar sentido a, nomear e transformar os dilemas éticos por meio de processos interativos. Esse processo se move através e gira em torno de diversas fases: contexto de construção social; promoção de diálogo por meio de valores humanos; desenho de visão; reenquadramento; interatividade incorporada; e elaboração de processos e resultados transparentes e sustentáveis (BUZZANELL, 2011; BUZZANELL, 2004; MATTSON; BUZZANELL, 1999; STEINER, 1997, 2008) (ver Quadro 4.1). Esse processo discursivo

[4] Consulte também (ALVESSON, 2004).

ético feminista reconhece a importância do contexto na natureza sociopolítica, econômica e material de nossos mundos, bem como as formas nas quais a atenção ao contexto e nossa própria incorporação em contextos específicos instigam a reflexão e as decisões difíceis.

Retornando às culturas ocupacionais de gênero e a suas manifestações em culturas organizacionais específicas, questões sobre o melhor modo de criar práticas inclusivas vêm à mente. Essas práticas devem levar em consideração as tensões, prioridades e oportunidades de diferentes vidas pessoais e de carreira para homens e mulheres da maioria e dos grupos sub-representados, de forma a adicionar complexidade e desafios éticos às iniciativas de vida pessoal e do trabalho. Como políticas e práticas podem ser revisadas para que haja ética de justiça e de cuidado válida para todos (KANTER; ROESSNER, 2003a, 2003b; LIU; BUZZANELL, 2005; WOOD, 1994)? Como podem contradições entre os interesses dos homens e os desejos destes de participar plenamente no cuidado, serem resolvidas frente aos mandatos sociais para os chefes de família masculinos e as penalidades organizacionais para os homens comuns?

Possibilidades para a pesquisa e práxis da cultura organizacional feminista

As abordagens de cultura organizacional feminista começam questionando culturas específicas, investigando resultados e processos de gênero, e sobrepondo os sistemas éticos e criadores de sentido feministas. Ao incorporar esses processos multiníveis, os pesquisadores e praticantes de cultura organizacional feminista podem situar políticas e práticas nos níveis micro e institucionais. A questão-chave é essa, para uma abordagem de cultura organizacional ser considerada feminista, ela deve atender à obrigação moral de investigar e defender em prol das mulheres e membros de grupos sub-representados. Sem essas qualidades-chave, as perspectivas de cultura organizacional permanecem em níveis mais abrangentes de entendimento cultural e de gênero.

Embora nosso esquema de cultura organizacional feminista forneça uma abordagem multinível, há limitações a serem consideradas: ele não analisa uma discussão completa da diversidade e da inclusão nem culturas ocupacionais e globais. Assim, os modelos e processos indicados aqui podem ser transferíveis por meio de diferentes culturas organizacionais, nas quais os desafios éticos, no entanto, podem variar muito. Estudos cruzados requerem atenção às interseções múltiplas em que ocorrem a marginalização e o privilégio em diferentes contextos (DAVIS, 2008). Uma limitação adicional aos processos aqui apresentados é que as culturas organizacionais feministas têm sido discutidas somente em consideração a questões centrais dos feminismos. Pode haver manifestações e questões de cultura organizacional feminista bem diferentes sobre quais dilemas éticos e respostas apropriadas dependem de formas específicas de feminismo em operações independentes e em formas combinadas (BUZZANELL; 1994; CALÁS; SMIRCICH, 1996, 2006; DOW, 2009; DOW; WOOD, 2006). Por último, recomendações para aplicações pragmáticas de abordagens culturais não foram desenvolvidas amplamente neste capítulo. A cultura organizacional feminista é dependente do contexto para análise e recomendação. Ainda assim, alguns processos e implicações práticas para nossa abordagem parecem ser transferíveis, ou seja, com base na criação de uma visão do que a organização "deve ser". Soma-se a isso os discursos de representação, compreensão, suspeita e vulnerabilidade (MUMBY, 1997). Em discursos de defesa que monitoram, desafiam e transformam os processos considerados óbvios, os membros organizacionais podem se engajar em (re)criar culturas que dão poder a *stakeholders*, abraçam a inclusão e, constantemente, pensam adiante em relação a responsabilidades e consequências da organização. Para concluir, a promessa de um trabalho de cultura organizacional feminista está em sua capacidade de continuamente repensar os pontos de entrada para a análise cultural. Além disso, em sua capacidade interativa, criadora de sentido e discursiva, a cultura organizacional feminista tem esperança de desafiar e mudar coletividades, de forma a beneficiar tanto as mulheres, quanto os homens.

Referências

ACKER, J. Hierarchies, jobs, bodies: a theory of gendered organizations. *Gender; Society*, v. 4, p. 139-158, 1990.

________. From glass ceiling to inequality regimes. *Sociologie du travail*, v. 51, p. 199-217, 2009.

ALVESSON, M. Organizational culture and discourse. In: GRANT, D. et al. *Handbook of organizational discourse*. Thousand Oaks, CA: Sage, 2004. p. 317-335.

ASHCRAFT, K. L. Empowering "professional" relationships: organizational communication meets feminist practice. *Management Communication Quarterly*, v. 13, p. 347-392, 2000.

____________. Organized dissonance: feminist bureaucracy as hybrid form. *Academy of Management Journal*, v. 44, p. 1301-1322, 2001.

____________. Gender, discourse, and organizations: framing a shifting relationship. In: GRANT. D. et al. *Handbook of organizational discourse*. Thousand Oaks, CA: Sage, 2004. p. 275-298.

ASHCRAFT, K. L.; MUMBY, D. K. *Reworking gender*: a feminist communicology of organization. Thousand Oaks, CA: Sage, 2004.

BUZZANELL, P. M. Gaining a voice: feminist organizational communication theorizing. *Management Communication Quarterly*, v. 7, p. 339-383, 1994.

_________________. Revisiting sexual harassment in academe: using feminist ethical and sensemaking approaches to analyze macrodiscourses and micropractices of sexual harassment. In: BUZZANELL, P. M.; STERK, H.; TURNER, L. H. (eds.). *Gender in applied communication contexts*. Thousand Oaks, CA: Sage, 2004. p. 25-46.

_________________. Feminist discursive ethics. In: CHENEY, G.; MAY, S.; *MUNSHI*, D. *(eds.). Handbook of communication ethics.* Nova York: *Routledge, 2011. p. 64-83.*

BUZZANELL, P. M. et al. Leadership processes in alternative organizations: Invitational and dramaturgical leadership. *Communication Studies*, v. 48, p. 285-310, 1997.

BUZZANELL, P. M.; GOLDZWIG, S. Linear and nonlinear career models: metaphors, paradigms, and ideologies. *Management Communication Quarterly*, v. 4, p. 466-505, 1991.

BUZZANELL, P. M.; LIU, M. Struggling with maternity leave policies and practices: a poststructuralist feminist analysis of gendered organizing. *Journal of Applied Communication Research*, v. 33, p. 1-25, 2005.

BUZZANELL, P. M. et al. Positioning gender as fundamental in applied communication research. In: FREY, L.; CISSNA, K. (eds.). *Routledge handbook of applied communication research*. Nova York: Routledge, 2009. p. 457-478.

CALÁS, M. B.; SMIRCICH, L. From "the woman's point of view": feminist approaches to organization studies. In: CLEGG, S. R.; HARDY, C.; NORD, W. R. (eds.). *Handbook of organization studies*. Thousand Oaks, CA: Sage, 1996. p. 218-257.

___________.; ___________. From the "woman's point of view" ten years later: towards a feminist organization studies. In: CLEGG, S. R. (ed.). *Handbook of organization studies*. Thousand Oaks, CA: Sage, 2006. p. 284-346.

DAVIS, K. Intersectionality as buzzword: A sociology of science perspective on what makes a feminist theory successful. *Feminist Theory*, v. 9, p. 67-85, 2008.

DEAL, T. E.; KENNEDY, A. A. *Corporate cultures*: the rites and rituals of corporate life. Reading, MA: Addison-Wesley, 1982.

D'ENBEAU, S. Transnational advocacy online: identity (re)creation through transparency, diversity, and co-construction. *Women's Studies in Communication*, v. 34, n. 1, p. 64-83, 2011.

DOW, B. J. Feminist approaches to communication. In: EADIE, W. F. (ed.). *21st century communication*: a reference handbook. Los Angeles, CA: Sage, 2009. p. 82-89.

DOW, B. J.; WOOD, J. T. (eds.). *The Sage handbook on gender and communication*. Thousand Oaks, CA: Sage, 2006.

EAGLY, A. H.; CARLI, L. L. Women and the labyrinth of leadership. *Harvard Business Review*, v. 85, n. 9, p. 63-71, 2007.

EAGLY, A. H.; JOHANNESEN-SCHMIDT, M. C. The leadership styles of women and men. *Journal of Social Issues*, v. 57, p. 781-797, 2001.

EISENBERG, E. M.; RILEY, P. Organizational culture. In: JABLIN, F.; PUTNAM, L. L. (eds.). *The new handbook of organizational communication*: advances in theory, research, and methods. Thousand Oaks, CA: Sage, 2001. p. 291-322.

FELS, A. Do women lack ambition? *Harvard Business Review*, p. 50-60, abr. 2004.

FERREE, M. M.; MARTIN, P. Y. (eds.). *Feminist organizations*: harvest of the new women's movement. Filadélfia: Temple University Press, 1995.

HAYDEN, S.; O'BRIEN HALLSTEIN, D. L. (eds.). *Contemplating maternity in the era of choice*: explorations into discourses of reproduction. Lanham, MD: Lexington Books, 2010.

KANTER, R. M. *Men and women of the corporation*. Nova York: BasicBooks, 1977.

KANTER, R. M.; ROESSNER, J. *Deloitte & Touche (A)*: a hole in the pipeline. (Case 9-300-012). Boston: Harvard Business School, 2003a.

____________________________. *Deloitte & Touche (B)*: a Changing the workplace. (Case 9-300-013). Boston: Harvard Business School, 2003b.

KISSELBURGH, L.; BERKELAAR VAN PELT, B.; BUZZANELL, P. M. Discourse, gender, and the meanings of work: rearticulating science, technology, and engineering careers through communicative lenses. In: BECK, C. (ed.). *Communication yearbook 33*. Nova York: Routledge, 2009. p. 258-299.

LIU, M.; BUZZANELL, P. M. Negotiating maternity leave expectations: perceived tensions between ethics of justice and care. *Journal of Business Communication*, v. 41, p. 323-349, 2004.

MANDEL, H.; SEMYONOV, M. Family policies, wage structures, and gender gaps: sources of earnings inequality in 20 countries. *American Sociological Review*, v. 70, p. 949-967, 2005.

MARTIN, J. *Cultures in organizations*: three perspectives. Nova York: Oxford University Press, 1992.

MATTSON, M.; BUZZANELL, P. M. Traditional and feminist organizational communication ethical analyses of messages and issues involved in an actual job loss case. *Journal of Applied Communication Research*, v. 27, p. 49-72, 1999.

MONOSSON, E. (ed.). *Motherhood, the elephant in the laboratory*: women scientists speak out. Ithaca, NY: Cornell University Press, 2008.

PACANOWSKY, M. E.; O'DONNELL-TRUJILLO, N. Communication and organizational cultures. *Western Journal of Speech Communication*, v. 46, p. 115-130, 1982.

PAPA, M. et al.. Organizing for social change through cooperative Action: the [dis]empowering powers of women's communication. *Communication Theory*, v. 10, p. 90-123, 2000.

PARKER, P. S. African American women executives' leadership communication within dominant-culture organizations: (re)conceptualizing notions of collaboration and instrumentality. *Management Communication Quarterly*, v. 15, p. 42-82, 2001.

PETERS, T.; WATERMAN JR., R. *In search of excellence*: lessons from America's best-run companies. Nova York: Warner, 1982.

ROEBUCK, J. Penn State scandal directs new scrutiny to university's relationship with Second Mile charity. The Philadelphia Inquirer. Disponível em: <http://www.idahostatesman.com/2011/11/26/1894472/penn-s-tate-scandal-directs-new.html>. Acesso em: 26 nov. 2011.

SABATTINI, L. Unwritten rules: why doing a good job might not be enough. *Catalyst*. Disponível em: <http://www.catalyst.org/publication/455/unwritten-rules-why-doing-a-good-job-might-not-be-enough-europe>. Acesso em: 15 jan. 2011.

SCHEIN, E. H. Coming to a new awareness of organizational culture. *Sloan Management Review*, v. 25, p. 3-16, 1984.

____________ . *Organizational culture and leadership*. São Francisco: Jossey-Bass, 1985.

SMITH, R. C.; EISENBERG, E. Conflict at Disneyland: a root metaphor analysis. *Communication Monographs*, v. 54, p. 367-380, 1987.

STEINER, L. A feminist schema for analysis of ethical dilemmas. In: CASMIR, F. L. (ed.). *Ethics in intercultural and international communication*. Mahwah, NJ: Erlbaum, 1997. p. 59-8.

STEINER, L. Feminist ethics. In: DONSBACH, W. (ed.). *The international encyclopedia of communication*. Disponível em: <http://www.communicationencyclopedia.com/subscriber/tocnode?id=g9781405131995_chunk_g978140513199511_ss19-1>. Acesso em: 25 nov. 2011.

WOLVERTON, B. Failure to alert Board cost Penn State's leadership dearly. *The Chronicle of Higher Education*, v. 58, n. 14, p. A1, A8-A9, 2011.

WOOD, J. T. *Who cares? Women, care, and culture*. Carbondale: Southern Illinois University Press, 1994.

O ESTADO CORRENTE DA "CULTURA ORGANIZACIONAL" NOS ESTUDOS DA COMUNICAÇÃO ORGANIZACIONAL

Bryan C. Taylor
Jamie McDonald
James Fortney

Desde a apropriação inicial do conceito pelos pesquisadores dos estudos organizacionais na década de 1970, observadores têm pronunciado, continuamente, o "declínio" e a "morte" da cultura organizacional. Esses pronunciamentos têm criticado seu status como, variavelmente, um fenômeno organizacional real, uma moda de gestão, um constructo teórico válido e um projeto acadêmico legítimo. A cultura organizacional tem estimulado esses pronunciamentos, ao superar e desafiar uma variedade de projetos políticos e éticos que estão previstos em valores modernistas, tais como: linearidade, coerência, realismo, racionalidade, certeza, unidade, singularidade e continuidade. Por outro lado, a cultura organizacional tem, regularmente, desapontado seus potenciais seguidores ao transformar sua ontologia e epistemologia, e ao persistir como um híbrido de tradição e inovação.

Não obstante, podemos investigar se, no presente momento, a "cultura organizacional" está, mais uma vez, declinando em status no campo dos estudos de comunicação organizacional. Essa afirmação pode ser apoiada ao acessar as tendências empíricas em indicadores da sua presença e influência. De forma mais ampla, contudo, é possível contemplar um *zeitgeist*[1] disciplinador e impaciente, no qual a "cultura organizacional" parece estar suportando deslocamento e reconfiguração associados a duas tendências parcialmente relacionadas. A primeira envolve o surgimento do "discurso organizacional", no qual as teorias sociais e os métodos de pesquisa atrelados ao estudo interdisciplinar da linguagem e à interação social desafiam as premissas interpretativistas e etnográficas tradicionais dos estudos de cultura organizacional. A segunda tendência é a adesão recente do campo à estruturação, "visão de mundo" e às teorias da "constituição comunicativa da organização" (CCO) como narrativas preferidas para conceitualizar a relação entre práticas comunicativas e estrutura organizacional.

Coletivamente, essas tendências parecem ter ocultado um período de 25 anos de relativo entusiasmo em torno do estudo da cultura organizacional nos estudos de comunicação organizacional. Caso estejamos dispostos a defender essa afirmação, no entanto, a questão que surge subsequentemente é: Como podemos descrever essas tendências? Neste capítulo, escolhemos a narrativa e a imaginação presentes em um "texto de performance" (DENZIN, 1997, 2003), que consiste em um gênero exemplar pós-moderno emprestado de pesquisadores de campos criativos como a arte e a literatura. Esse gênero configura fragmentos textuais selecionados (encontrados e feitos) para, de forma alegórica, evocar qualidades ambíguas, contestadas, narrativas e vivenciais dos fenômenos culturais. Assim, este capítulo estende explorações recentes da performance como um modo de representar a pesquisa em comunicação organizacional (WELKER; GOODALL, 1997) com o intuito de considerar sua adequação para descrever a cultura dos "estudos de comunicação organizacional" em si como um local de formas interativas de discurso, conhecimento, e poder.

Dessa forma, nosso script de performance evoca uma variedade de afirmações que dizem respeito ao status "pós-moderno" da cultura e da comunicação organizacional (TAYLOR, 2005), incluindo as cinco afirmações a seguir.

- » O ceticismo pós-moderno em direção a narrativas-base falando com autoridade monológica sobre os fenômenos organizacionais tem encorajado o desenvolvimento de narrativas acadêmicas reflexivas. Essas narrativas abertamente se referem a temas de

---

[1] Termo alemão que significa em tradução livre "espírito da época", ou seja, o conjunto do clima intelectual e cultural do mundo, numa certa época.

incerteza e contingência, e incorporam múltiplas vozes que competem para interrogar a adequação de explicações dominantes.

» Explicações pós-modernas usam estratégias criativas de contrassenso, duvidosas e de ironia, para aumentar nossa noção de paradoxo, ambiguidade, emergência e diferença como condições do comportamento organizacional – incluindo o comportamento acadêmico profissional de estudar o comportamento.

» Explicações pós-modernas problematizam e desconstroem limites presumidos entre culturas "organizacionais" e suas culturas societais-hospedeiras adjacentes. Essas explicações têm como foco a mídia comunicativa que circula formas de conhecer, sentir e agir entre essas esferas, criando articulações distintivas e intertextuais (por exemplo, de velocidade, fluxo, performance, imagem e estilo), que conectam e fundem tanto quanto os separam e os distinguem.

» O pós-modernismo enfatiza os papéis centrais de diferença na constituição das identidades culturais organizacionais. Em vez de presumir que a linguagem emana de sujeitos essenciais preexistentes para expressar o conhecimento objetivo do **eu** ou do **mundo**, o pós-modernismo celebra o papel da linguagem e da interação na constituição contínua desse conhecimento por meio da invocação de relações de significação dificultadas-ideologicamente. Essas relações criam um discurso que aclama e repõe os sujeitos culturais a posições preferidas por meio das quais expressões repletas de significado sobre o mundo podem ser compostas e entregues. Dessa forma, atribuições feitas sobre o **outro** não certificam muito sua **verdade**, uma vez que elas funcionam para assegurar diferentemente as identidades precárias daqueles que discursam fazendo atribuições tais como: **na e por meio de minha performance deste discurso, eu "re-conheço" de novo quem eu acredito que sou/nós somos, porque o que eu digo a você/eles não são.**

» O pós-modernismo vê a produção de "conhecimento" sobre a comunicação organizacional como um local contínuo de luta no qual vários grupos disputam a autoridade e a legitimidade de suas narrativas (tanto prática, quanto teórica). Essa luta se desdobra com e contra ordens existentes de discurso que sempre tiveram preferência por oradores específicos, tópicos específicos e formas particulares de discursar. A mudança se desdobra à medida que diversos vocabulários, gramáticas e dialetos **falam seus sujeitos** (não ao contrário disso) em formas que reordenam aquelas lógicas e que produzem outros efeitos de consequência.

O script a seguir foi elaborado na conferência da National Communication Association que aconteceu (apropriadamente) na cidade de New Orleans, nos Estados Unidos, em 2011.

[Ambiente]: Um bar, à noite. Tarde da noite, um pouco depois do período mais movimentado, quando a intoxicação eufórica muda para a introspecção melancólica. O interior sugere uma atmosfera urbana, cosmopolita e da moda: um design misto de sombras em tons pastéis, superfícies de aço polido, encanamentos expostos artisticamente no teto, e luz baixa. A música de fundo é eclética, mas tranquila: uma mescla de música contemporânea adulta, com faixas ocasionais de jazz e blues clássicos, artistas independentes e batidas internacionais. Um balcão de bar longo e espelhado, com luz de fundo, garrafas multicoloridas dominam o palco central. Uma TV de tela plana grande posicionada acima do bar e voltada para o público está sintonizada em um canal de notícias. As mesas estão dispostas à esquerda e à direita do palco, ocupadas por um grupo de estrangeiros e por CLIENTES – jovens adultos e de meia-idade, vestidos com diversos estilos de escritório – formais e informais. Ouvimos o burburinho ambiente de suas conversas animadas, conduzidas predominantemente em dialetos de origem anglo-saxônica, da Europa ocidental, Escandinávia e América do Sul; algumas risadas e gritinhos apareciam em meio a argumentos embriagados. Alguns espaços nas paredes deixavam à mostra os balcões de outros bares e clientes similares. CLIENTES são vistos entrando e saindo desses ambientes. Um BARTENDER solitário está de pé, impaciente, observando a multidão enquanto enxuga os copos com uma toalha e os guarda. Sua expressão apática sugere que ele já viu e ouviu muita coisa. Uma FIGURA andrógina entra sozinha, pelo lado esquerdo do palco, olha em volta, se move, cautelosamente, e senta-se em um lugar livre no centro do bar. A FIGURA aparenta ser atípica e ambígua. Está usando um terno azul-marinho de tecido risca de giz que cobre a metade de seu corpo; a outra metade está vestida com uma *kilt* chamativa composta de retalhos de tecidos africanos e escoceses, Metade de seu rosto está limpa e sem adornos; a outra é coberta por uma tatuagem de hena e diversos *piercings*. Em meio a isso tudo, a tela da TV mostra um texto que serve de contraponto para o diálogo e para a ação.

BARTENDER

[Surpreso.] Ei! Eu não tenho visto você aqui por um tempo. Onde esteve?

FIGURA

[Vagamente.] Ah, por aí. Você sabe... Aqui e ali. [Olha para a esquerda e para a direita.] Este lugar mudou muito. [Faz uma pausa. Baixa a voz.] Eu não tinha certeza se ainda era bem-vindo...

BARTENDER

Você? Não ser bem-vindo *aqui*? Ah, deixe disso! Você é uma *celebridade*. Você praticamente *construiu* esse lugar. Por quanto tempo você tem vindo aqui, por falar nisso? Uns vinte, trinta anos, agora? Que você vem e senta aí? Este é o *seu* lugar. [Alonga-se, pega uma garrafa debaixo do bar, sopra o pó dela.] Você acha que eu esqueci? O que você vai tomar – o de sempre? [Pega o copo, coloca o drinque em frente à FIGURA.]

FIGURA

Isso seria ótimo. Agradeço. [Pega o copo e dá um gole.] Ahhhhh. [Põe o copo sobre o balcão.] Exatamente como eu lembrava.

BARTENDER

Sim. [Olha para a garrafa que está segurando.] Bebemos várias dessa, não foi? Você sabe – há muito tempo.

FIGURA

É verdade. [Pausa.] Há muito tempo...

TELA DA TV

A emergência durante a década de 1980 da cultura organizacional nos estudos de comunicação organizacional foi rápida, impressionante, e "um tanto quanto assustadora" (EISENBERG; RILEY, 2001). *A "cultura organizacional" enfatizava o papel dos fenômenos simbólicos nas expressões práticas dos membros e na interpretação subjetiva das realidades organizacionais. Sua abrangência refletia os desejos disciplinadores para representar, da forma mais bem-sucedida, a integridade das experiências vividas dos membros organizacionais, e o papel das suas performances e artefatos comunicativos em criar, manter e transformar as normas, os valores e as crenças organizacionais* (KEYTON, 2005; PUTNAM; PACANOWSKY, 1983).

FIGURA

Sim. Todas essas luzes. As cores. As pessoas... Às vezes, eu penso no passado. Você sabe? Sobre o que estava lá no começo. Sobre se eu deveria ter sabido o que aconteceria lá.

TELA DA TV

À medida que a cultura organizacional já tem sido apropriada para servir aos interesses corporativos e dos gestores e aos programas de pesquisa positivistas nos estudos organizacionais, isto é "dominante, mas está morto" (SMIRCICH; CALAS, 1987).

BARTENDER

Eu sei. É difícil construir uma carreira quando eles já atestaram seu óbito, mas, mesmo assim, parece que os que disseram que eram contra você não eram realmente contra você. Como se eles quisessem que você fosse algo que eles poderiam entender, algo com que eles conseguiriam conviver.

FIGURA

Isso mesmo. Parece que já tinha o suficiente de mim para satisfazer a demanda.

TELA DA TV

Uma perspectiva de "efetividade" sobre a cultura organizacional a trata "como valores ou práticas que explicam o sucesso de uma organização e que pode ser gerenciado para produzir melhores resultados de negócio". Nessa visão, a comunicação é parte de "um instrumento racional desenvolvido pela gerência de topo para moldar o comportamento dos empregados de formas intencionais" (EISENBERG; RILEY, 2001, p. 309).

Uma perspectiva pós-modernista da cultura organizacional resiste a todas as afirmações sobre singularidade. Verdade absoluta, e enxerga a identidade subjetiva e o conhecimento conceitual como os artefatos da representação. "Nós não somos nada, mas discursos pelos quais e nos quais vivemos. Nesse sentido, nós não somos nada mais que pontos de transgressão em redes de discursos" (SMIRCICH; CALAS, 1987).

BARTENDER

Ahh – não se destrua. Nada dura para sempre. Você teve uma carreira. Veja todas as pessoas que você trouxe aqui. Amantes, amigos, parceiros de trabalho. Tantos deles! Algumas pessoas inteligentes, com classe, interessantes – vou te contar!

FIGURA

Eu sei. [Sorri.] É como se, aqui, sempre tivesse uma energia boa. Não tínhamos que esconder o que éramos. Nós apenas nos sentíamos compreendidos.

BARTENDER

Lembra-se da Metáfora?

FIGURA

Ah, sim. [Dá um grande sorriso.] Como eu poderia esquecê-la?

TELA DA TV

A metáfora não simplesmente reflete ou descreve uma realidade pré-existente. Em vez disso, ela serve como uma ferramenta interpretativa que – quando utilizada de forma expressiva – constitui as possibilidades para a ação legítima, coerente e definitiva entre os membros da cultura organizacional (DEETZ, 1986).

FIGURA

Tem visto ela por aqui ultimamente?

BARTENDER

Ela ainda na área. Da última vez que a vi, ela estava com a Estética.

TELA DA TV

A metáfora não é simplesmente uma forma de comunicação, mas também é tão fundamental para linguagem que ela tanto permeia sua essência natural, quanto supera nossa habilidade de conhecê-la. As dimensões de performance da metáfora formam um recurso para produzir não apenas o conhecimento cognitivo, mas também a sensação incorporada, a apreensão, e o julgamento dos fenômenos organizacionais. Com certeza, ela unifica esses dois modos de conhecimento humano (HOGLER et al., 2008).

FIGURA

Ei, isso é ótimo. Espero que ela esteja feliz. E quanto à Narrativa?

BARTENDER

Oh, céus. A Narrativa. Qual delas? Anedota? Mito? Parábola? História de Vida?

FIGURA

Eu sei. Ela era complicada, mas, cara, quando ela se juntava com a Teoria Crítica, era só faísca!

TELA DA TV

"A narrativa é uma forma discursiva singularmente potente por meio da qual o controle [organizacional] pode ser dramatizado, porque ela força a crença, enquanto que, ao mesmo tempo, ela protege afirmações verdadeiras de testes e debates" (WITTEN, 1993, p. 100).

BARTENDER

É, mas ela mudou.

FIGURA

[Afirmando positivamente com a cabeça.] Eu ouvi falar que ela virou um Paradigma.

BARTENDER

Mm-humm, mas ainda é um lugar de disputas.

FIGURA

E a Performance?

BARTENDER

Fugiu com o Texto alguns anos atrás e formaram seu próprio periódico. Disse que você a abandonou. Ela disse que era mais que mera dramaturgia.

FIGURA

[Encolhendo-se.] Tem um pouco de verdade nisso, eu acho.

BARTENDER

Outra? [Completa o drinque.] Então, me conte, o que aconteceu? Digo, eu ouvi parte da história, mas isso é só um lado. Parece que você se dissipou.

FIGURA

[Defensivo.] Eu não diria isso. Talvez aqui, um pouco, mas lá fora? [Gestos direcionados a outros locais vistos entre as paredes.] Lá fora, eu ainda faço sentido!

TELA DA TV

Vários artigos, a cada década, aparecem em periódicos acadêmicos de renome, e contêm as palavras-chave "organização" e "cultura" em seus resumos:[2]

1980-1989: 16

1990-1999: 39

2000-2009: 78

FIGURA

E não é que eu absolutamente precisava dessas pessoas. [Gestos para os CLIENTES.] Sabe? [Fungando debochadamente.] Como se eles fossem fazer toda a diferença...

TELA DA TV

Número de editores e autores de livros na edição atual do Handbook of organizational culture and climate (ASHKANASY; WILDEROM; PETERSON, 2011, p. 58).

[2] Busca por "Business Source Complete" em bases de dados on-line conduzida por James Fortney em 5 de janeiro de 2011, para as seguintes publicações: *Academy of Management Journal*; *Academy of Management Review*; *Culture & Organization*; *Human Relations; Journal of Organizational Change Management*; *Organization; Organization Science, and Organization Studies.*

Número de autores identificados como pesquisadores de comunicação: 0

Número de páginas no volume: 649

Número de páginas indexadas para o termo "comunicação": 4

BARTENDER

Ok, Ok, não se sinta testado! Eu entendo. [Dá uma pausa, depois explica mais gentilmente.] Mas, ainda, alguma coisa aconteceu, certo? As coisas não estão como elas costumavam ser.

FIGURA

Eu sei, mas é mais complicado. É como... Você já sentiu as pessoas lidando com você como algo óbvio? Como se eles dissessem que você é importante, mas mesmo assim seguem em frente?

BARTENDER

[Sorri cinicamente.] Não me diga!

FIGURA

Como se você ainda fosse convidado para reuniões, mas ninguém te faz perguntas. Se você diz alguma coisa, eles olham através de você, ou eles concordam com a cabeça e continuam a conversa com outro assunto.

TELA DA TV

Alguns artigos publicados nos periódicos de Comunicação, 1970-2009, contendo a palavra-chave "cultura organizacional" em seus resumos:[3]

1970-1979: 0

1980-1989: 13

1990-1999: 40

---

[3] Busca por "COMAbstracts" em bases de dados on-line conduzida por Bryan C. Taylor em 10 de fevereiro de 2011.

2000-2009: 53

BARTENDER

Como algo do tipo "novidades boas-novidades ruins"?

FIGURA

Exatamente.

TELA DA TV

Alguns artigos publicados nos periódicos de Comunicação, 1970-2009, contendo a palavra-chave "cultura organizacional" em seus títulos, expressos como uma porcentagem de artigos no mesmo período contendo essa palavra-chave em seus resumos:[4]

1970-1979: 0 (0%)

1980-1989: 2 (15%)

1990-1999: 11 (28%)

2000-2009: 9 (17%)

FIGURA

Ou seja, você começa a perceber as pequenas coisas. Como naquela música: "A empolgação se foi..."

TELA DA TV

Número de painéis patrocinados pela Divisão de Comunicação Organizacional na Conferência da Associação Nacional de Comunicação em 2010 contendo "cultura organizacional" em seus títulos: 0

BARTENDER

[Cantando junto.] "... A empolgação foi embora."

[4] Ver nota 3

TELA DA TV

Médias para várias décadas de trabalhos citados em capítulos sobre "cultura organizacional", contidos em uma amostra de quatro edições atuais de livros renomados de comunicação organizacional:[5]

Pré-1980: 6

1980-1989: 14.5

1990-1999: 14.75

2000-2009: 12

FIGURA

E você começa a ouvir coisas. Coisas que as pessoas estão dizendo de você.

TELA DA TV

[Rolando.]

"Eu confesso um preconceito. Certas palavras produzem em mim algo como uma reação alérgica. A cultura costumava ter esse tipo de efeito" (J. TAYLOR, 2008, p. 347).

"As pessoas [na área de comunicação] ainda fazem 'pesquisa sobre cultura organizacional'?" (N. Trujillo, comunicação pessoal, 12 de dezembro de 2010.)

"Parece ser um tipo de artefato histórico... Minha impressão é que nós acreditamos... Ela seguiu seu curso. Alguém tem escrito sobre... um elogio?" (D. Carlone, comunicação pessoal, 7 de fevereiro de 2011.)

"Eu acho que se tornou... como... o oceano em que nós nadamos. Não é mais um conceito problematizado, em primeiro plano...

[5] Análise conduzida por James McDonald em 19 de outubro de 2010 no que segue: AVTGIS, T. A.; RANCER, A. S.; MADLOCK, P. E. *Organizational communication: strategies for success*. Dubuque, IA: Kendall Hunt, 2010; CHENEY, G.; CHRISTENSEN, K. T.; ZORN Jr., T. E.; GANESH, S. *Organizational communication in an age of globalization: issues, reflections, practices*, 2. ed. Long Grove, IL: Waveland, 2011; EISENBERG, E. M.; GOODALL Jr., H. L.; TRETHEWAY, A. T. *Organizational communication: balancing creativity and constraint*, 6. ed. Boston, MA: Bedford/St. Martin's, 2010; e SHOCKLEY-ZALABAK, P. S. *Fundamentals of organizational communication: knowledge, sensitivity, skills, values*, 7. ed. Boston, MA: Pearson, 2009.

tanto quanto é um plano de fundo, tido como dado... constrói..." (K. Ashcraft, comunicação pessoal, 25 de janeiro de 2011.)[6]

"Eu acho que existem fantasmas. É quase como se tivessem resíduos ou escombros de cultura organizacional dentro da pesquisa em comunicação organizacional [atual]." (B. Allen, comunicação pessoal, 13 de janeiro de 2011.)

"A cultura meio que se rompeu... Todas aquelas ideias que colocávamos sob o guarda-chuva da 'cultura organizacional' se tornaram interesses em si mesmas." (K. Broadfoot, comunicação pessoal, 9 de janeiro de 2011.)

"Me disseram que o termo tem sido, mais ou menos, substituído por outros termos – como 'identidade', por exemplo." (F. Cooren, comunicação pessoal, 20 de dezembro de 2010.)

"Eu acho que 'cultura' é [como] um exercício de jazz. O exercício de jazz foi abafado. Ele era um bom exercício para muitas pessoas... mas aí, juntamente, vieram diferentes formas de... fazer um exercício bom para o coração e se divertir." (T. Kuhn, comunicação pessoal, 10 de janeiro de 2011.)

FIGURA E BARTENDER

[Olhando, incrédulos, para a tela.] EXERCÍCIO DE JAZZ?!?!

FIGURA

[Consternado.] *Oy gevalt*![7]

BARTENDER

[Solidário.] Ai, então é como se você tivesse sido demitido.

FIGURA

[Faz uma saudação irônica no estilo militar.] Isso. Para o "plano de fundo".

---

[6] Bryan C. Taylor solicitou anonimato das fontes nas citações selecionadas da entrevista relacionada.

[7] Em tradução livre do dialeto alemão Iídiche, é algo como "Oh, meus Deus!". Uma exclamação de surpresa, que em alguns casos pode ser tratada como reclamação ou indignação.

BARTENDER

[Refletindo] Isso pode soar engraçado, mas isso não é meio que um elogio? Você sabe: "Você é tão importante que nós o aceitamos como uma premissa básica."

TELA DA TV

"A cultura é absolutamente central. Nós não necessariamente utilizamos o termo [não mais], mas é uma base [para] a qual muitas perspectivas na comunicação organizacional contemporânea podem... tirar seus chapéus." (S. Ganesh, comunicação pessoal, 10 de janeiro de 2011.)

FIGURA

[Considerando.] Talvez...

BARTENDER

De qualquer forma, você está me dizendo como isso aconteceu.

FIGURA

Ah, me poupe. Você provavelmente sabe tanto quanto – ou mais até – do que eu sei. Mas eu tenho pensado muito sobre isso.

BARTENDER

Então, você conseguiu chegar a alguma conclusão?

FIGURA

Eu irei lhe dizer o que eu penso – você faz o mesmo. Combinado?

BARTENDER

Combinado.

FIGURA

Bem, primeiro, parece que, por baixo de toda essa empolgação inicial, também havia ambiguidade. Tinha muita proximidade no começo, e nós estávamos tentando ser o que o outro queria. Ou seja, parecia uma coisa presa, certo? Nós precisávamos um do outro para explicar o que nós éramos individualmente, e do que nós éramos capazes.

BARTENDER

Mas, e aí?

FIGURA

Aí você descobre coisas sobre as outras pessoas que você não sabia de início. O que elas querem, do que elas precisam. E você percebe que talvez você não seja a pessoa que conseguirá dar isso a elas.

TELA DA TV

"Revisar o corpo de pesquisa sobre cultura organizacional é uma tarefa tentadora e confusa. Praticamente tudo é considerado 'cultura', e estudos que pretendem estudar cultura o fazem de formas dramaticamente diferentes. Como resultado, nenhum tratamento consistente da comunicação tem emergido na literatura sobre cultura" (EISENBERG, GOODALL; TRETHEWEY, 2010, p. 130).

BARTENDER

[Parando de assistir à TV.] Ou vice-versa, parece.

FIGURA

Certo. E tinha o problema de nossos amigos mútuos. Quando nós começamos, parecia que nós nos daríamos bem, mas aí coisas aparecem. É difícil largar hábitos antigos. Coisas foram ditas no calor da discussão.

TELA DA TV

A pesquisa e teoria "multiperspectiva" da pesquisadora de gestão Joanne Martin tem, significativamente, influenciado o estudo da cultura organizacional nos estudos de comunicação organizacional. Todavia, esse trabalho apresentou dois problemas significativos: (1) oscilação inconsistente e não reflexiva entre paradigmas "ontoepistemológicos" incongruentes; e (2) uma subsequente ênfase exacerbada nas dimensões ideais da cultura organizacional, que pode inibir a análise da sua produção nas e por meio das práticas materiais de comunicação (TAYLOR, IRVIN; WIELAND, 2006).

BARTENDER

E, uma vez que elas foram ditas, não podem ser retiradas.

FIGURA

E o aspecto negativo é que vocês dois podem conhecer alguém novo, e isso pode mudar o relacionamento de vocês. Ou seja, nós nunca prometemos um ao outro que isso seria uma coisa exclusiva, certo?

TELA DA TV

"À medida que os pesquisadores de comunicação estão mais atentos a formas de organizing *mais globais, virtuais, e 'não oficiais'... o organizacional é altamente articulado com o cultural. Por esta frase, nós queremos dizer que, como é convencionalmente compreendido, 'a comunicação organizacional' cintila e reaparece como 'comunicação cultural como e sobre a organização'"* (CARLONE; TAYLOR, 1998, p. 340).

"Eu não acredito [não mais] que uma cultura organizacional específica exista. Qualquer tentativa de se referir a ela dessa forma, falha. Isso porque existem múltiplas narrativas, múltiplos rituais... Se você acredita que múltiplas formas de discurso atravessam entidades e coletividades de organizing*, então eu acho que você não pode dizer que há uma forma única e holística de fazer sentido do mundo que poderia ser [uma] cultura organizacional." (K. Broadfoot, comunicação pessoal, 19 de janeiro de 2011.)*

BARTENDER

Certo. As pessoas mudam, e o mundo muda. Às vezes, nós apenas nos separamos.

FIGURA

Você fica fragmentado. Isso acontece.

BARTENDER

Mas, às vezes, você é forçado.

FIGURA

[Olha para o BARTENDER, surpreso.]

BARTENDER

Você sabe a quem estou me referindo.

FIGURA

Você está se referindo ao Discurso.

BARTENDER

[Afirma com a cabeça, aponta.] Ele está sentado bem ali.

[Luz de destaque na mesa do lado esquerdo do palco, em que três figuras estão sentadas. Uma das figuras é alta, forte HOMEM nº 1 usando uma camiseta preta com um brasão grande com a letra "D" na frente, e um "d" pequeno na parte de trás. Ele se levanta, ainda conversando com seus colegas de mesa, e se dirige ao toalete. A luz de destaque é reduzida.]

FIGURA

[Nervoso.] Eu estava contando que ele não estivesse aqui hoje à noite.

BARTENDER

Eles estão aqui todo o tempo agora. Aquela é a mesa em que eles sempre se sentam.

FIGURA

Não é que nós não podemos nos dar bem um com o outro. É apenas que nós não... nós não...

BARTENDER

Falam a mesma linguagem?

FIGURA

[Sarcástico.] Hah-hah. Eu estava evitando dizer isso...

TELA DA TV

Existem inúmeras áreas de sobreposições potenciais entre os campos de estudos de cultura organizacional (ECO) e da análise do discurso organizacional (ADO). Ambas, por exemplo, têm um interesse forte em estudar as formas e práticas da linguagem utilizada em contextos organizacionais. Contudo, os ECOs tradicionalmente presumem que a linguagem-em-uso dos membros organizacionais expresse significados preexistentes relativamente estáveis, que podem persistir em um estado cognitivo, dormente (por exemplo, como uma tradição cultural), mesmo na ausência da performance imediata. Ela também sugere enxergar o sujeito humano como um agente criativo, e sintetizando conexões entre padrões observados de significado e prática. A ADO, todavia, favorece a análise fina da conversa situada, localizada e da comunicação não verbal, e percebe essas performances como a realização imediata da interação coordenada e dos significados coorientados. Ela não assume aumento de escala ou generalizações dos seus achados para servir a uma grande teoria, e suas variáveis pós-modernas tendem a ver o sujeito que fala como um efeito dos discursos culturais (ALVESSON, 2004).

FIGURA

Ou seja, de verdade, o que aquele cara tem que eu não tenho?

BARTENDER

Bem, potencialmente, uma forma atrativa de análise de dados que produz achados reconfortantes e uma alternativa para a hegemonia etnográfica da *Grounded Theory*.[8]

TELA DA TV

(S. Deetz, comunicação pessoal, 17 de dezembro de 2010.)

BARTENDER

Mas, à parte disso, por que vocês não compartilham o que vocês têm em comum? Pense nisso – **códigos**, **significado**, **texto**, **contexto**, **intertextualidade**. Do que mais você precisa?

TELA DA TV

(PUTNAM; FAIRHURST, 2001.)

FIGURA

Eu sei, mas é como utilizar cores nas pinturas ou condimentos na comida. Vocês dois podem começar com os mesmos materiais, mas utilizá-los de formas diferentes para criar resultados diferentes. Além disso, agora que ele descobriu o pós-modernismo, ele acha que é meu dono.

[8] Teoria baseada em análise de dados.

TELA DA TV

Nós deveríamos entender a cultura organizacional não muito como uma variável objetiva ou como uma pré-condição ontológica para a organização, mas como um tipo específico de discurso utilizado na organização que provê seus participantes de autoridade e discurso em suas tentativas de influenciar os resultados de processos relacionados (RIAD, 2005).

FIGURA

E mais, ele é tão político.

TELA DA TV

"[A mudança para] o discurso organizacional... praticamente falando, foi uma forma para as pessoas na comunicação se conectarem com [o campo de] estudos organizacionais, especialmente com os europeus, australianos e neozelandeses que estavam fazendo esse tipo de trabalho orientado para a comunicação." (K. Ashcraft, comunicação pessoal, 25 de janeiro de 2011.)

BARTENDER

Verdade o suficiente. Ouvi dizer que você achou complicado quando o Discurso ficou com a Estruturação.

[Luz de destaque novamente na mesa anterior, lado esquerdo do palco. Desta vez, um HOMEM nº 2 de silhueta afilada, caucasiano e de meia-idade, de cabelos grisalhos ondulados e vestindo um terno formal aparece, falando com um sotaque britânico com o colega que ficou na mesa. Ele se afasta da mesa. Luz de destaque é reduzida.]

FIGURA

Sim. Não tenho orgulho da minha reação, mas aquilo foi difícil de aceitar sim. Ou seja, não era como se nós não tivéssemos trabalhado juntos antes...

TELA DA TV

No contexto da vivência organizacional diária, os indivíduos inspiram-se em padrões amplamente inconscientes que moldam as regras e procedimentos formais e informais, a linguagem que eles usam para se comunicar, e até mesmo seus conhecimentos e personali-

dades. Ao utilizar essas estruturas constantemente, esses indivíduos relegitimam o que foi passado, proveem um meio para o presente e montam o cenário para o futuro – este é o mecanismo cultural (RILEY, 1983, p. 435).

FIGURA

... Ou não tinha mais nada em comum.

TELA DA TV

A estruturação abrange... [de Martin] uma abordagem multiperspectiva... no sentido de que é sensível para a interconexão dos agentes e instituições, e permite que o pesquisador contextualize e explore os fenômenos organizacionais do superficial ao profundamente incorporado... A teoria da estruturação [também] permite que o pesquisador da área de comunicação estude a complexidade da cultura organizacional e supere as dificuldades paradigmáticas de uma investigação multiperspectiva (WITMER, 1997, p. 327).

BARTENDER

Então, parece uma perda...

FIGURA

Isso. Como se eu não fosse mais importante.

BARTENDER

E aí **ela** apareceu...

[Luz de destaque de novo na mesa, do lado esquerdo do palco. A última pessoa da mesa é uma MULHER atraente usando um vestido longo da moda. À medida que ela levanta da sua cadeira, ela vira para o lado do público, revelando alguns detalhes de seu rosto e parte de sua pele exposta é um metal brilhante. Ela se afasta da mesa. Luz de destaque é reduzida.]

FIGURA

Ela não se parece com ninguém que eu já tenha visto antes. Eu não sabia se estava se sentido atraído ou se eu estava apavorado. Talvez os dois.

TELA DA TV

"Eu acho que é justo dizer que a CCO [o programa de pesquisa da "constituição comunicativa da organização"] é uma terceira direção na qual a... onda da cultura organizacional se foi... Eu acho que há uma sobreposição clara... entre as pessoas que fazem discurso organizacional e as que fazem CCO. Mas as pessoas que fazem CCO parecem estar afirmando para elas mesmas um vocabulário mais técnico que foge – digamos de forma autoconsciente, no sentido feminista – da 'moleza' da ciência social da linguagem da cultura, identidade e discurso... Eu não estou totalmente certo do que eu penso disso. (K. Ashcraft, comunicação pessoal, 25 de janeiro de 2011.)

"Coisas da CCO estão mais sexies *agora. É como se fosse 'o novo preto', se você desejar." (M. Koschmann, comunicação pessoal, 12 de janeiro de 2011.)*

BARTENDER

Ela parece ser intensa.

FIGURA

Isso. Eu pensava que eu tinha tudo pronto, no que se refere a perguntas e respostas. E aí, na primeira vez em que a encontrei, tentei fazer a coisa de forma educada. Ela é nova no pedaço, eu sou um veterano. Pensei: vou ser amigável e me apresentar. Então, fui até ela e disse: "Oi, eu sou a Cultura Organizacional. Quais são os seus valores adotados?" [Música.] Ela não diz nada. Ela só olha para mim. E, pelos olhos dela, parecia que ela conseguia ver **dentro de mim**.

TELA DA TV

"A cultura é um termo tão estático. É um substantivo. Se você o transformar em 'verbo' em termos de 'culturando', a pergunta se torna 'Como a cultura é construída no momento?' E 'Como a cultura se adapta a um tipo específico de situação?'... Essas são algumas tendências... nas quais as pessoas estão focando." (K. Barge, comunicação pessoal, 10 de janeiro de 2011.)

FIGURA

Instantaneamente, eu me senti inconveniente...

TELA DA TV

"Quando você muda para a noção [que] a organização é constituída por meio da comunicação, você realmente está olhando para todos os recursos disponíveis nos quais as pessoas se inspiram. [Olhar somente para] a cultura organizacional limita o foco." (K. Barge, comunicação pessoal, 10 de janeiro de 2011.)

BARTENDER

E contingente...

TELA DA TV

"Culturas, incluindo as organizacionais, são cada vez mais vistas como intersecções de espaço-tempo construídas, negociadas, contestadas continuamente que se fecham e se abrem, dentro e fora delas mesmas, desafiando assim qualquer delimitação ou definição simples" (VASQUEZ, GROLEAU; BRUMMANS, 2011, p. 19).

FIGURA

[Aumentando o desespero.] Você entende o que isso quer dizer? [Agarra a camiseta do BARTENDER, quase gritando.] Tudo em que eu acreditava – sobre de onde eu vim, meus limites, meu propósito nesta vida – foi questionado! **Tudo**!

BARTENDER

[Gentilmente retira a mão da FIGURA de sua camiseta; está calmo, quase clínico.]. Eles querem saber como você é feito, como você continua existindo, de momento a momento.

FIGURA

Certo. O que, diabos, isso queria dizer? Ou seja, **alguém** sabe as respostas para essas perguntas sobre eles mesmos?

BARTENDER

Eu sei. É perturbador. Mas pense bem. Este não é o melhor lugar para se discutir essas questões?

TELA DA TV

Se as pessoas são animadas por preocupações específicas, e você pode perceber como essas questões estão incorporadas às suas formas de conversar, nas suas formas de interagir... Aí você pode falar sobre cultura... Se existe essa tal coisa chamada cultura, ela precisa estar incorporada, encarnada na terra firme das interações... Não existe outro lugar em que isso possa acontecer." (F. Cooren, comunicação pessoal, 20 de dezembro de 2010.)

FIGURA

Mas o que há de errado com a forma com a qual eu tenho trabalhado? Ou seja, o que é toda essa coisa sobre minha confiança exacerbada em "entrevista e dados de observações, que geralmente detêm análises detalhadas da interação em si." Quem são *eles* para dizer que os métodos etnográficos constituem uma "negligência (metodológica) relativa das interações como o local específico da existência da cultura?"

TELA DA TV

(ASHCRAFT; KUHN; COOREN, 2009. p. 14).

BARTENDER

Eu acho que a preocupação deles é mais com o uso exacerbado de dados de entrevista, mas...

FIGURA

[Aumenta a voz, interrompendo.] Como eles podem dizer que uma nota de campo de um observador participante sobre a intersubjetividade de práticas situadas e incorporadas **não** é sobre interação?! [Gritando, histericamente.] Quando a **interação** substituiu a **comunicação**? Isso é um **objetivismo** reacionário, não **interpretativismo**! Eles estão obcecados com **transcrições**! [Um SEGURANÇA enorme entra do lado direito do palco, aproximando-se da FIGURA. Ele olha para o BARTENDER, que faz um contato visual, e sutilmente balança sua cabeça. O SEGURANÇA dá uns passos para trás, mas continua observando.]

BARTENDER

Você precisa se controlar. Você está chateando os clientes. Se você quer continuar vindo aqui, você terá que aceitar que as coisas mudaram. Não são as mesmas pessoas que você conhecia. Não é a mesma conversação.

TELA DA TV

A CCO rejeita a imagem da cultura organizacional como algo que está "acima" ou "fora" da comunicação, como se fosse sua fonte ou seu resultado. Ao invés disso, o que quer que ela seja, a cultura organizacional é produzida reflexiva e recursivamente por meio da interação. É um contexto que é feito "de dentro" – nas micropráticas por meio das quais os oradores descrevem os fenômenos organizacionais, realizam ações relacionadas e atribuem as implicações dessas ações à interação futura (J. TAYLOR, 2008).

A existência da 'cultura' na organização pode ser uma premissa útil, mas ela não deveria nos prevenir de examinar e demonstrar como as diferentes práticas cruzam umas com as outras para produzir precedentes potentes e scripts estáveis de comunicação, e como aqueles scripts subsequentemente interagem para criar os princípios autoritários que animam o processo contínuo do organizing *humano. "Você tem que* ***mostrar****. Você tem que* ***mostrar****"* (J. TAYLOR, 2010).

FIGURA

[Indignado.] Mas eu não quero ser apenas um "estilo incorporado"!

TELA DA TV

(ASHCRAF; KUHN; COOREN, 2009. p. 9, 13-14).

BARTENDER

Veja, eu sei que isso não é fácil. Mas você não consegue ver que tudo isso [Mostrando o gesto para todo o bar.] não poderia ter acontecido sem você? E que nós ainda queremos que você seja parte disso? Você apenas tem que aceitar que nós crescemos. Nós não temos mais que depender de você. Nós apenas esperamos ser parceiros iguais.

CLIENTES

[De repente; todos; juntos.] PELO MENOS, PARCEIROS IGUAIS!

[As luzes são reduzidas agora, com exceção de um único foco de luz na FIGURA, sentada ao bar. BARTENDER se distancia em meio à escuridão. HOMEM nº 1, HOMEM nº 2 e MULHER agora aparecem, movimentando-se em direção à FIGURA pelos três lados. Quando estão bem próximos, eles simultaneamente estendem seus braços, colocando as mãos nos ombros e nas costas da FIGURA. A FIGURA pula sutilmente, perplexa. Olha em volta, aos poucos reconhecendo. Sua expressão revela ansiedade e expectativa.]

HOMEM nº 1, HOMEM nº 2 e MULHER

[Juntos, em uma monotonia ambígua que sugere tanto compaixão e controle.] Tudo ficará bem. Nós estávamos esperando você. Nós temos muito trabalho para fazer.

FIGURA

[De repente, interessada e esperançosa.] Nós temos?

TODOS (CLIENTES, BARTENDER, SEGURANÇA, HOMEM nº 1, HOMEM nº 2 e MULHER)

[Todos, alto.] SIM! NÓS TEMOS!

[Com todas as luzes agora desligadas, com exceção da TELA DA TV, que continua a aparecer no escuro.]

TELA DA TV

"O que eu acho que nós podemos fazer é nos interessarmos pela cultura, mas devemos reformulá-la tornando-a mais interacional." (F. Cooren, comunicação pessoal, 20 de dezembro de 2010.)

"Eu não tenho nenhum problema com a cultura... uma vez que ela permaneça de forma secundária na descrição atual de comunicação." (J. Taylor, comunicação pessoal, 15 de dezembro de 2010.)

"Existe a possibilidade de reinventar a cultura, mas [como] essa reinvenção acontece é terrivelmente complicado... Correm-se dois riscos. [Primeiro, ela] deveria acontecer por meio da alteração da concepção de cultura para algo muito mais do que simbólico: tem que ser material e simbólico juntos... O segundo desafio... [envolve ver] a cultura não é... necessariamente unificada, mas algo que é fragmentado... O desafio aí é que o pessoal da comunicação, me incluindo, [não sabe] como estudar isso." (T. Kuhn, comunicação pessoal, 10 de janeiro de 2011.)

"Como nossas estruturas modernas de tempo e espaço estão começando a ficar distorcidas... a ideia de que nós somos um coletivo tem se tornado muito mais importante. Mas nós estamos tendo que encontrar novas formas de falar sobre a cultura... Eu gostaria que nós nos tornássemos [mais] sensitivos às formas pelas quais nós compreendemos a cultura e as consequências: quem tem que fazê-la, e quem deveria estar participando. E como nós podemos construir formas de coletividades e processos de organização mais tolerantes e mais inclusivos. Eu não tenho predições, na verdade, apenas esperanças e desejos. (K. Broadfoot, comunicação pessoal, 19 de janeiro de 2011.)

[TELA DA TV escurece.]

FIM

Referências

ASHCRAFT, K. L.; KUHN, T.; COOREN, F. Constitutional amendments: 'Materializing' organizational communication. In: BRIEF, A.; WALSH, J. (eds.). *The Academy of Management Annals*. Nova York: Routledge, 2009. v. 3, p. 1-64.

ASHKANASY, N.; WILDEROM, C. P. M.; PETERSON, M. F. (eds.). *The handbook of organizational culture and climate*. Thousand Oaks, CA: Sage, 2011.

CARLONE, D.; TAYLOR, B. C. Organizational Communication and Cultural Studies: a Review Essay. *Communication Theory*, v. 8, p. 337-367, 1998.

DEETZ, S. Metaphors and the discursive production and reproduction of organization. In: THAYER, L. (ed.). *Organizations ↔ Communication:* emerging perspectives I. Norwood, NJ: Ablex Publishing Co, 1986. p. 168-182.

DENZIN, N. K. *Interpretive ethnography*: ethnographic practices for the 21st century. Sage: Thousand Oaks, CA, 1997.

____________ . *Performance Ethnography*: critical Pedagogy and the Politics of Culture. Thousand Oaks, CA: Sage, 2003.

EISENBERG, E. M.; GOODALL JUNIOR, H. L.; TRETHEWAY, A. *Organizational communication*: balancing creativity and constraint, 6. ed. Boston, MA; Nova York, NY: Bedford/St. Martin's, 2010.

EISENBERG, E. M.; RILEY, P. Organizational culture. In: JABLIN, F. M.; PUTNAM, L. L. (eds.). *The new handbook of organizational communication*: advances in theory, research, and methods. Thousand Oaks, CA: Sage, 2001. p. 291-322.

HOGLER, R. et al. Meaning in organizational communication: why metaphor is the cake, not the icing. *Management Communication Quarterly*, v. 21, p. 393-412, 2008.

KEYTON, J. *Communication and organizational culture*. Thousand Oaks, CA: Sage, 2005.

PUTNAM, L. L.; FAIRHURST, G. T. Discourse analysis in organizations: issues and concerns. In: JABLIN, F.; PUTNAM, L. L. (eds.).

The new handbook of organizational communication: advances in theory, research, and methods Thousand Oaks, CA: Sage, 2001. p. 78-136.

PUTNAM, L. L.; PACANOWSKY, M. E. (eds.). *Communication and organizations, an interpretive approach*. Beverly Hills, CA: Sage, 1983.

RIAD, S. THE POWER OF 'ORGANIZATIONAL CULTURE' AS A DISCURSIVE FORMATION IN MERGER INTEGRATION. *Organization Studies*, v. 26, p. 1529-1554, 2005.

RILEY, P. A structurationist account of political culture. *Administrative Science Quarterly*, v. 28, p. 414-437, 1983.

SMIRCICH, L.; CALÁS, M. B. Organizational culture: a critical assessment. In: JABLIN, F. M. et al. *Handbook of organizational communication*: an interdisciplinary perspective. Newbury Park, CA: Sage, 1987. p. 228-263.

TAYLOR, B. C. Postmodern theory. In: MAY, S.; MUMBY, D. K. (eds.), *Engaging organizational communication theory and research*: multiple perspectives. Thousand Oaks, CA: Sage, 2005. p. 113-140.

TAYLOR, B. C.; IRVIN, L. R.; WIELAND, S. M. Checking the map: critiquing Joanne Martin's metatheory of organizational culture and its uses in communication research. *Communication Theory*, v. 16, p. 304-332, 2006.

TAYLOR, J. R. Communication and discourse: is the bridge language? Response to Jian et al. *Discourse & Communication*, v. 2, p. 347-352, 2008.

VÁSQUEZ, C.; GROLEAU, C.; BRUMMANS, B. H. J. M. *Notes from the field on organizational shadowing as framing*. Paper presented at the Annual Meeting of the International Communication Association, Boston, MA, 2011.

WELKER, L. S.; GOODALL JÚNIOR, H. L. Representation, interpretation, and performance opening the text of Casing a Promised Land. *Text Performance Quarterly*, v. 17, p. 109-133, 1997.

WITMER, D. F. Communication and recovery: structuration as an ontological approach to organizational culture. *Communication Monographs*, v. 64, n. 4, 324-349, 1997.

WITTEN, M. NARRATIVE AND THE CULTURE OF OBEDIENCE AT THE WORKPLACE. In: MUMBY, D. K. (ed.). *Narrative and social control*: critical perspectives. Newbury Park, CA: Sage, 1993. p. 97-118.

A CONSTITUIÇÃO COMUNICATIVA DA CULTURA ORGANIZACIONAL: UMA QUESTÃO A SER CULTIVADA

François Cooren
Boris H. J. M. Brummans
Chantal Benoit-Barné
Frédérik Matte

Ao manter a orientação "baseada na ação" da comunicação organizacional (BENOIT-BARNÉ; COOREN, 2009; BRUMMANS, 2006; BRUMMANS, COOREN; CHAPUT, 2009; COOREN; TAYLOR; VAN EVERY, 2006; COOREN; MATTE, 2010; TAYLOR; VAN EVERY, 2000, 2010), uma terminologia cunhada por Fairhust e Putnam (2004), consideramos, neste capítulo, a cultura organizacional como um processo comunicativo de cultivo pelo qual tópicos como práticas, formas de conversar, artefatos, valores, normas, ou ideologias (COOREN, 2010a) tornam-se específicos, relevantes e significativos para os membros organizacionais. Como demonstraremos, tanto teoricamente quanto empiricamente, essa visão performática da cultura permitirá que estudiosos da área de comunicação organizacional estudem os detalhes da conversa em interação ("o discurso, com 'd' minúsculo", de Alvesson e Kärreman [2000]), enquanto levam em consideração os efeitos iterativos pelos quais especificidades (que sugerimos chamar de **figuras**) são cultivadas em conversações organizacionais, documentos e práticas. (Alvesson e Kärreman [op. cit.] referem-se a essa dimensão iterativa do discurso como "o Discurso, com 'D' maiúsculo").

Isso significa que, ao cultivar figuras específicas em conversações, documentos e práticas, os membros organizacionais expressam, implícita e explicitamente, diferentes formas de apreensão, que podem ser experimentadas como dificultadores (porque eles acham que devem obedecê-los, como no caso de normas, políticas ou regras) ou afeições (porque eles se importam com elas, como no caso de ideais, princípios ou valores). Essa visão performativa da cultura produz *insights* sobre as formas como aqueles que interagem, continua e iterativamente, fazem com que **figuras específicas falem ou ajam** em suas conversações ou documentos, como os ventríloquos – os ventríloquos geralmente chamam os bonecos que eles manipulam de "figuras" (GOLDBLATT, 2006). Esses efeitos de ventríloquo trabalham em duas direções: se aqueles que interagem são ventríloquos, é também porque as figuras que eles manipulam fazem com que **eles** digam e façam coisas de formas específicas. Em outras palavras, as figuras também os **animam** ou os **preocupam**. Tratar como ventríloquo um valor específico (por exemplo, equidade, independência ou eficácia) ao cultivá-los em nossas conversações pressupõe que esse valor está também, *ceteris paribus*, nos **animando** e nos **preocupando**; portanto, nos **leva** a dizer o que nós dizemos ou a fazer o que nós fazemos. Assim, nós fazemos de ventríloquo os valores que, por sua vez, nos fazem de ventríloquos também (GOLDBLATT, 2006; COOREN, 2010a).

Nas próximas seções, revisaremos as origens da visão constitutiva da cultura organizacional e, então, delinearemos nossa perspectiva ventríloqua em mais detalhes. Em seguida, demonstraremos seu uso para a pesquisa em comunicação organizacional por meio da análise de excertos de trabalhos de pesquisa de campo que examinam o que anima/preocupa os membros da organização médico-humanitária internacional Médicos Sem Fronteiras (MSF) em suas conversações e ações diárias.

Cultura organizacional como cultivo

Apesar de as organizações terem sido concebidas como fenômenos culturais há muito tempo (PETTIGREW, 1979; SMIRCICH, 1983a, 1983b), com alguns estudiosos sugerindo até que as organizações não têm, mas **são** culturas (PEPPER, 1995), o fato como as culturas organizacionais são constituídas de forma comunicativa **situadas** por meio das (inter)ações cotidianas permanece relativamente sem investigação. Se a comunicação é para ser concebida como "constitutiva da cultura" (EISENBERG; RILEY, 2001, p. 294), deveríamos ser capazes de demonstrar teórica e empiricamente em que medida a comunicação e a interação contribuem para a emergência, desenvolvimento, manutenção e mudança de dada cultura (MARCHIORI, 2008).

A origem dessa visão constitutiva da cultura organizacional pode ser fundamentada no artigo de Pacanowsky e O'Donnell-Trujillo (1983), "Comunicação organizacional como desempenho cultural", tido como um marco. Contudo, surpreendentemente, poucos estudiosos da comunicação organizacional enxergam a cultura organizacional sob esse ponto de vista. A análise de metáfora clássica de Smith e Eisenberg (1987) sobre a Disneylândia, por exemplo, mostrou, de forma bem-sucedida, como um conflito organizacional poderia ser compreendido como um choque entre culturas: um embasado em uma metáfora dramática, e outro, em uma metáfora familiar. É difícil qualificar esse estudo como uma análise performativa e constitutiva da cultura organizacional, uma vez que ele foi empreendido apenas por meio de entrevistas.

Ao contrário, os estudos etnográficos de Trujillo (1983, 1992; TRUJILLO; DIONISOPOULOS, 1987) sobre cultura organizacional como desempenho podem ser considerados os primeiros movimentos em direção ao desenvolvimento de uma visão mais constitutiva. Por conta do nível de análise adotado nesses estudos, o trabalho de Trujillo não nos permite explorar os mecanismos comunicativos pelos quais valores, normas, princípios ou ideologias específicos são sustentados ou nutridos nas interações cotidianas (ver também CHENEY, 1997, 1999; MURPHY, 1998; TRACY, 2000). Em outras palavras, mantendo sua perspectiva interpretativa, Trujillo demonstrou como diferentes interpretações de polícia, beisebol e culturas de gestão são privilegiadas em ações e interações, porém suas análises não fornecem explicações detalhadas das formas como essas culturas são comunicativamente constituídas, assim como as que estão sendo atualmente oferecidas pelos estudiosos de "constituição comunicativa das organizações" (CCO) - percebam que pouco se tem olhado para a cultura organizacional *per se* (TAYLOR, 1993; TAYLOR et al., 1996; BRUMMANS; PUTNAM, 2003).

Então, do que uma visão constitutiva da cultura trata? Para responder a essa questão, e mantendo nossa orientação baseada na ação, propomos ver a cultura como o produto do cultivo em (inter)relações (ver também COOREN, 2010a). Etimologicamente, o verbo "cultivar" origina-se do latim *cultivare*, que significa lavrar, gradar e arar (quando se fala em terra), e, aparentemente, aceitou somente o sentido mais figurativo de "melhorar por meio de treinamento ou educação" no século 17. O verdadeiro termo "cultura" origina-se do latim *cultura*, implicando literalmente "agricultura" e, de forma mais figurada ainda, "cuidado", "cultura" e "honrar" – significados que também estão implícitos na palavra "culto". Cultivo e cultura geralmente dizem respeito ao sentido de cuidado, a retorno, de forma repetida, que faz algo crescer, evoluir, amadurecer ou tornar-se sustentável; seja uma plantação que estamos tentando fazer com que cresça, seja uma posição ou uma política que estamos tentando reforçar, ou um artefato que estamos usando repetidamente para alcançar um fim específico. Em cada um desses casos, verificamos que a ideia de cultura sempre diz respeito a um compromisso implícito ou explícito em relação àquilo que é cultivado.

Para nosso conhecimento, essa visão de cultura não foi apresentada antes, pelo menos não nesses termos explícitos. Por exemplo, em seu livro seminal sobre cultura organizacional, Joanne Martin (1992, 2001; BRUMMANS; PUTNAM, 2003) desenvolveu uma exaustiva perspectiva geral de diferentes tradições de pesquisa e constatou que "à primeira vista, os pesquisadores de cultura organizacional parecem concordar uns com os outros: Cultura é geralmente definida como aquilo que os membros culturais compartilham" (MARTIN, 2001, p. 16). Todavia, Martin mencionou que "pesquisadores de cultura não concordam com o que a cultura é" (ibid., p. 17) e parece haver um pequeno acordo sobre **o que** é exatamente compartilhado. A definição inicial de Joanne, mesmo sendo incompleta e problemática, tem como foco os aspectos compartilhados, comuns ou coletivos da cultura. Na verdade, mesmo as suas três perspectivas teóricas sobre cultura organizacional presumem que o critério principal para diferenciar essas abordagens sejam o compartilhamento e o entendimento comum: sua perspectiva de integração permite o estudo do que parecem ser objetos de consenso em uma organização; sua perspectiva da diferenciação tem como foco a análise de subculturas e o caráter superficial de consenso organizacional; e sua visão de fragmentação elucida o caráter relativamente inconsistente, ambíguo e situacional do que é (considerado a ser) compartilhado.

Qual seria o retorno esperado de conceber as culturas organizacionais como um conjunto de práticas, artefatos etc. que são cultivados ao invés daqueles que são compartilhados? Em nossa visão, o benefício de conceber culturas organizacionais como questões cultivadas é que permite que os estudiosos de comunicação organizacional revelem sua natureza performativa. Para serem compartilhadas, as culturas devem, por definição, ser cultivadas, ou seja, sustentadas por meio de interações cotidianas – mesmo que muito desse cultivo aconteça de forma inconsciente. Uma visão performativa ou constitutiva da cultura produz *insights* no sentido de compreender como as culturas são vividas, experimentadas e constituídas na prática (WEICK, 1979, 1995) diária. Como tudo que é cultivado por um grupo de pessoas integra quem e o que elas são, é difícil para aqueles que constituem determinada cultura verem como os valores, artefatos etc. – que são óbvios para eles –, são coconstruídos por meio de suas participações nas interações cotidianas. Assim, como o compartilhamento e o entendimento comum certamente são características importantes da cultura (ECO, 1976), enfatizar esse aspecto de forma exagerada geralmente nos previne de tentar compreender como o compartilhamento (bem como divergências/diferenças) é realmente coproduzido.

Se aceitarmos que as culturas são constituídas por meio das interações, a próxima questão é: o que é cultivado durante as interações e como esse cultivo acontece? Primeiro de tudo, muitas coisas diferentes podem ser cultivadas em nossas interações: formas comuns de se comunicar (sotaques, expressões, estilos de interação), formas habituais de fazer coisas (rituais, técnicas, gestos), bem como resultados ou produtos dessas atividades (artefatos, ideias, histórias). O que também precisa ser adicionado nessa lista é tudo que dita ou governa essas formas de se comunicar ou agir, tais como valores, normas, princípios, crenças e ideologias, que são implicitamente (e geralmente inconscientemente) cultivadas por meio de discursos e ações. Essa lista inclui muitas das manifestações culturais tradicionalmente encontradas na literatura de cultura organizacional (MARTIN, 2001, cap. 3). Adotando como base o ponto de vista constitutivo, essa heterogeneidade não é algo surpreendente, porque muitas coisas podem ser cultivadas durante nossas interações. O que ainda resta a ser explicado são os mecanismos comunicativos que fazem com que o cultivo em contextos organizacionais seja possível. Abordaremos essa questão na próxima seção ao desenvolver mais a fundo a perspectiva do ventríloquo.

Comunicação como ventriloquismo

Como mencionado, culturas organizacionais são manifestadas por meio de tudo que governa atividades, bem como essas atividades em si e seus produtos. Para conceber uma cultura como algo que é constituído de forma comunicativa, precisamos de uma visão de comunicação que leve em conta essa heterogeneidade. Apoiada em Alvesson e Kärreman (2000), essa perspectiva também precisa considerar os aspectos da ação (discurso) e iteração (Discurso) da produção cultural, uma vez que a ideia de cultivo diz respeito, por definição, a repetição/iteração/recorrência.

Se nossa perspectiva deve ser baseada na ação, ela, portanto, precisa se manter aberta ao que ou a quem aparece para **fazer a diferença** em dada atividade ou interação.

Se um valor ou princípio específico (por exemplo, independência) é cultivado por/em uma organização, o que precisa ser analisado é como esse valor ou princípio dita ou governa as formas de se comunicar e de agir dos membros organizacionais quando eles agem em nome de suas organizações. Isso resultará em um *insight* sobre o aspecto iterativo de suas culturas organizacionais e, possivelmente, de suas subculturas. Nesse caso, a iteratividade pode ser observada no que diz respeito à independência de sua organização que leva os membros organizacionais a repetir formas similares de falar, escrever ou fazer alguma coisa. Em vez de se confiar na oposição clássica entre estrutura e ação, que é tradicionalmente utilizada para explicar tais padrões (GIDDENS, 1987), nossa perspectiva baseada na ação nos encoraja a nos concentrarmos em ação e agência, e utilizarmos como foco o que está agindo em uma situação.

Compreender a comunicação como envolvendo atos de ventriloquismo (COOREN, 2008, 2010a) chama a atenção para o que está sendo mobilizado em tentativas de fazer a diferença na forma como uma situação é compreendida ou constituída na ação. Mais especificamente, essa perspectiva possibilita o estudo de como um ator (o ventríloquo) faz com que outro ator (o boneco ou a figura) diga ou faça algo, o que estimula uma "conversação" entre eles. Como Goldblatt (2006) percebeu, o ventriloquismo é uma metáfora útil para compreender aspectos específicos das interações porque ele questiona nossa visão tradicional de autoria. Como seres humanos, podemos nos enxergar como os autores exclusivos de nossos próprios pensamentos e ações (nossos jeitos próprios de ser), todavia, uma perspectiva de ventríloquo questiona esse pressuposto tido como óbvio, ao mostrar que a autoria (e seu termo relacionado, autoridade) diz respeito a várias atividades-teste que acontecem nas interações cotidianas (BENOIT-BARNÉ; COOREN, 2009; COOREN, 2010a; TAYLOR; VAN EVERY, 2011). Se alguém defende uma instância específica em nome da justiça ou da equidade, por exemplo, não é somente ele (a pessoa) que defende essa posição, mas também, até certo ponto, a figura de justiça ou equidade que ela incorpora, encarna, ou dá voz para transmitir sua comunicação verbal e não verbal. Utilizar o modo ventríloquo na figura de justiça (e em outras figuras potenciais) em seu discurso mostra a "coisa" que parece defender, promover, advogar ou "submeter" sua posição e *dá maior peso* ao que ele está dizendo (COOREN, 2010a; ver também CHAPUT, BRUMMANS; COOREN, 2011).

Como Goldblatt (2006) sugere, o ventriloquismo é um processo de duas vias: ao fazermos com que uma figura fale ou aja, também somos "ventriloquizados" por essa figura, pelo menos até certo ponto. Falar em nome da independência, por exemplo, significa que nos posicionamos como sendo atrelados a ou preocupados com (o cultivo de) esse princípio, um compromisso, preocupação; ou "agarrar" que nos leva a dizer o que estamos dizendo ou a fazer o que estamos fazendo (WEICK; PUTNAM, 2006). Se a independência é um princípio central que define dada cultura organizacional, o comprometimento de um membro organizacional a esse princípio pode levá-lo a reagir negativamente se ele acreditar que ele (e, consequentemente, sua organização) está sendo instrumentalizado, uma vez que isso prejudica um aspecto essencial da sua organização.

Assim, considerar a comunicação como ventriloquismo revela os detalhes daquilo que as pessoas fazem e dizem, e desvela as figuras que elas estão testando em seus discursos, turnos de fala e ações. Essa abordagem não nos força a escolher entre um discurso, com "d" minúsculo, ou um Discurso, com "D" maiúsculo (ALVESSON; KÄRREMAN, 2000), porque aqueles que interagem simultaneamente agem e são agidos em qualquer situação. Eles estão agindo porque estão exprimindo e lutando por ideias, tomando posições etc., mas também são agidos na medida em que são "mobilizados" ou "movidos" a fazer o que fazem por conta de seu comprometimento a figuras específicas que os animam e os autorizam a legitimar suas ideias, posições, entre outras coisas. Nessa visão, a comunicação é deslocada, extática (fora de lugar) ou mesmo desconexa (como em "fora de conexão" conforme Derrida [1994] teria dito), na medida em que sua dimensão local e situada é sempre "contaminada" por todas as figuras que aqueles que interagem implícita ou explicitamente mobilizam (COOREN; FAIRHURST, 2009; COOREN; FOX; ROBICHAUD; TALIH, 2005). Corroborando essa visão, adotar uma perspectiva de ventríloquo para estudar a CULTURA organizacional implica nunca deixar a 'terra firme' das interações (COOREN, 2006) e ao mesmo tempo se manter vigilante sobre as formas de comprometimento que iterativamente as expressam no que é dito, escrito, ou feito.

Para demonstrar o valor dessa perspectiva, analisaremos, em seguida, duas reuniões a que assistimos durante nossa pesquisa de campo etnográfica na MSF, a renomada organização humanitária que recebeu o Prêmio Nobel da Paz em 1999.

Duas análises da constituição comunicativa da cultura de independência da MSF

Nos últimos cinco anos, nosso grupo de pesquisa tem realizado uma série de trabalhos de campo que examinou as atividades dos membros da MSF durante diversas missões ao redor do mundo (como na República Democrática do Congo, na Nigéria, no Sri Lanka, na Jordânia, na Suazilândia, no Moçambique, no Jibuti, no Quênia e na Somália). Usamos, principalmente, o *video shadowing* (MEUNIER; VASQUEZ, 2008) para coletar nossos dados. Acompanhamos um ou vários membros da MSF durante o dia, munidos de uma filmadora.

Assim que um trabalho de campo era concluído, essas gravações eram transcritas e organizávamos sessões de dados para analisar como esses representantes e funcionários do MSF estavam fazendo seus trabalhos.[1] Essas análises permitiram que identificássemos as figuras que os membros da MSF cultivaram durante suas interações entre si e também com membros de fora da MSF. Rapidamente, tornou-se claro, para nós, que os representantes da MSF geralmente mostram, de forma comunicativa, uma preocupação com a independência de suas próprias ações e, consequentemente, com as de suas missões locais e com a organização MSF como um todo. Essa preocupação ou comprometimento não somente se manifesta em suas interações, mas também é enfatizado em documentos organizacionais oficiais, tal como a carta de princípios da MSF, que diz:

> A organização Médicos Sem Fronteiras leva socorro às populações em perigo e às vítimas de catástrofes de origem natural ou humana e de situações de conflito, sem qualquer discriminação racial, religiosa, filosófica ou política.
>
> Trabalhando com neutralidade e imparcialidade, os Médicos Sem Fronteiras reivindicam, em nome da ética médica universal e do direito à assistência humanitária, a liberdade total e completa do exercício da sua atividade.
>
> Eles se empenham em respeitar os princípios deontológicos da sua profissão e em manter uma total independência em relação a

[1] Para ver as publicações que resultaram desses estudos, consulte: Benoit-Barné e Cooren (2009); Cooren (2010a, 2010b, 2010c); Cooren, Brummans; Charrieras (2008); Cooren; Matte (2010); e Cooren, Matte, Vasquez; Taylor (2007).

todo poder, bem como a toda e qualquer força política, econômica ou religiosa.

Voluntários, eles medem os riscos e perigos das missões que realizam e não reclamam qualquer compensação que não seja aquela oferecida pela organização (MÉDECINS SANS FRONTIÈRES, 2011).

No geral, essa ênfase na independência não é algo surpreendente, considerando que a MSF quase que exclusivamente intervém em regiões do mundo nas quais as populações não têm acesso às condições mais básicas no que diz respeito a renda, segurança e atendimento à saúde. Sempre é tentador para seus parceiros (políticos nacionais e locais, representantes da saúde), cidadãos locais ou funcionários locais tentar obter o máximo dessa organização, especialmente quanto recursos financeiros. Com esse orçamento gigantesco (em 2009, a MSF gastou mais de € 665 milhões para fornecer atendimento à saúde ao redor do mundo), a organização humanitária, portanto, parece ser o "maná caído do céu".

No entanto, como a preocupação da MSF com a independência é cultivada nas interações por meio de atos de ventriloquismo e como essa perspectiva de ventríloquo nos ajuda a examinar os efeitos desse cultivo? Para responder a essa questão, consideraremos duas análises, uma com enfoque em uma reunião entre o coordenador regional do MSF e dois representantes regionais de saúde da República Democrática do Congo, e outra com enfoque em uma reunião entre um coordenador do campo e três líderes/representantes de vila locais (mediada por um intérprete) na Província Nordeste do Quênia.

Análise 1:[2] reunião na República Democrática do Congo

Esse trecho que se segue, originalmente em francês, mostra parte de uma reunião que aconteceu na capital da região leste da República Democrática do Congo em 2005. Durante essa reunião, Robert,[3] um coordenador regional da MSF, está conversando com dois representantes regionais da saúde, dr. Tinga e dr. Raaga, sobre as diversas atividades que a MSF está empreendendo. Em um momento da discussão, dr. Tinga questiona se

[2] Em ambas as análises, utilizamos nomes fictícios para os indivíduos e lugares para proteger a privacidade deles.

[3] Para entender o comentário de Nadif, o leitor deve saber que a MSF era no lugar em que a reunião está acontecendo em 2004, saiu, e depois retornou em 2009.

é possível para alguns de seus médicos do Congo se beneficiar com a presença de um cirurgião experiente da MSF em um de seus hospitais. Como ele diz: "Então, uh > nós gostaríamos < (0,5), com sua aprovação, que vocês mandassem médicos para dar treinamentos, mas claro somente para uh para cirurgia, para que eles possam se beneficiar uh uh da experiência de um cirurgião que a MSF colocar – uh colocar no hospital." Ao ouvir esse pedido, Robert imediatamente reage dizendo "Bem, para treinamento uh," e facialmente expressando um tipo de perplexidade. Presumidamente, percebendo que o termo "treinamento" pode ser problemático para Robert, dr. Tinga interrompe Robert dizendo: "Bem, nós diríamos 'treinamento', pode ser muito forte, mas bem uh." Seu colega, dr. Raaga, entra, então, rapidamente na conversa e explica que o que eles têm em mente, bem como a racionalidade por trás da proposta. Logo que a justificativa de dr. Raaga termina, a conversa continua como se segue:

220 Robert: Sim, sim nós deveremos ser cuidadosos em: uh (.) apenas usar isso porque

221 certamente treinamento uh MSF, nós não somos uma universidade (sorrindo levemente)

222

223 Dr. Raaga: Sim [isso isso nós entendemos

224

225 Robert: [Nós não estamos aqui como treinadores=

226

227 Dr. Tinga: =huh= (consentindo)

228

229 Robert: =Ao mesmo tempo, está claro que:: quando a MSF passa um tempo em

230 um ambiente de hospital:: e mesmo uh em centros de saúde::: onde quer que

231 estejamos passando tempo, está claro que existe – que existe – que existe uma

232 parte de uh aprendizado [que é importante

233

234 Dr. Tinga: [Sim uhu

235

236 Robert: Uh porque nós no entanto temos ferramentas uh que eu acho que – são

237 importantes na MSF. Nós temos vários uh (.) livros:: Eu estou pensando nos guias

238 clínicos uh dos livros sobre o uso da medicina essencial, com os protocolos

239 terapêuticos. Uh:: depois de trazermos uh conhecimento em higiene, a

240 administração-a administração dos resíduos, tudo isso. Sim, está

241 claro que existe=

242

243 Dr. Tinga: =[um processo de aprendizagem

244

245 Robert: [um processo de aprendizagem uh que é um pouco, eu diria,

246 diariamente uh à medida que cada um der suporte à causa uh? (rolando suas mãos para a frente

247 e para trás enquanto fala)

248

249 Dr. Tinga: uhu

250

251 Robert: Mas nós não estamos aqui, eu diria, para agir como uma **escola**

252

253 Dr. Tinga: uhu

Nessa passagem, Robert reitera sua preocupação com o termo "treinamento" ao destacar que "MSF, nós não somos uma universidade" (linha 221). No que diz respeito ao ventriloquismo, observamos que o Robert se posiciona falando em nome da organização, que é outra forma de dizer que a MSF pode ser referido como uma figura. O que é particularmente interessante, todavia, é que sua preocupação/resistência é testada/apresentada como sendo expressa em nome da identidade da MSF, a qual é de novo (negativamente) reafirmada na linha 225 ("Nós não estamos aqui como treinadores"). Isso sugere que a MSF não está presente na região nesta capacidade. Em um movimento que frequentemente observamos em nossos dados, esse representante da MSF resiste às tentativas de seu interlocutor de fazer com que a MSF faça algo que não está em adequação com seu *raison d'être* oficial, ou seja, concentrar-se em intervenções humanitárias e no intervencionismo sozinho – e não no desenvolvimento.

Ao "ventriloquizar" a identidade da MSF (mesmo que seja traçando o que sua organização não é), Robert está, portanto, transferindo responsabilidade para o seu (e o de sua organização) teste/ponto de resistência. Sua preocupação (desconforto) em relação ao termo "treinamento" (ou seja, sua resistência) está implicitamente apresentada como o que sua organização parece, de acordo com ele, exigir. Todavia, não é somente **ele** que é resistente a essa terminologia, mas também (a identidade de) sua organização, que dita uma linha de conduta específica nessa situação. Nesse caso, os dois verbos "obrigar" ou "ditar" sinalizam os efeitos de ventríloquo que são operativos neste momento. Além disso, vemos os interlocutores de Robert se alinhar a essa instância (ver linhas 227 e 234) e implicitamente reconhecerem essa forma de definir a situação.

Essa forma de interagir também permite a Robert dar voz à preocupação da MSF com uma independência remanescente: Quando dr. Raaga e dr. Tinga tentam ventriloquizar a organização para seus próprios propósitos como sendo capaz de treinar os cirurgiões, Robert rapidamente rejeita essa tentativa e os coloca em seus devidos lugares. Perceba, contudo, que essa afirmação de independência também é subsequentemente mitigada pelo o que Robert diz sobre o tempo que a MSF está passando em hospitais e em centros de saúde (ver linhas 229-232), bem como os diversos documentos (livros, protocolos, guias etc.) que a organização põe à disposição de quem quiser utilizá-los (ver linhas 236-240). Assim, nesse momento da reunião, a preocupação da MSF com a aprendizagem dos processos dos médicos locais é externada por meio da resposta do Robert.

Para concluir, em outra manobra típica da organização, agarrar-se à independência da MSF é algo que não é prejudicial: Uma vez que ela não é uma educadora e "não está aqui... para agir como uma **escola**" (linha 251), Robert assegura que o aprendizado ainda acontecerá "diariamente uh à medida que cada um der suporte à causa" (linha 245-246). Aqui, Robert indica que uma vez que a MSF age, prioritariamente, para os interesses dos pacientes, sua literatura e sua mera presença podem diretamente beneficiar os médicos e as enfermeiras locais. Robert também parece reconhecer que a organização e seus representantes são os únicos que podem se autodefinir e determinar sua função (por exemplo, eles são os únicos que podem ventriloquizar a MSF como uma figura). Contudo, essa declaração de independência não deveria ser confundida com egoísmo porque, Robert afirma que a organização também cultiva uma preocupação pelos médicos e trabalhadores da saúde locais (a MSF também age, indiretamente, para o interesse **deles**).

Análise 2: reunião no Quênia

A segunda reunião que analisaremos também mostra como um membro da MSF cultiva, de forma comunicativa, a independência da organização no campo. Essa passagem tem como foco as interações entre o coordenador do campo (James), três líderes/representantes locais da vila (Asad, Nadif e Taban) e um intérprete local (Abdi), na Província Nordeste do Quênia. Uma vez que os líderes da vila falavam somali[4] e James inglês, o intérprete local desempenhou um papel-chave nessa reunião. Nossa análise baseia-se em sua tradução para o inglês e tudo que foi dito por James em inglês.

A reunião começa quando todos os participantes acomodam-se no escritório de James. James está sentado à sua mesa, com os líderes sentados ao lado e contra a parede. Abdi está entre eles. Asad começa e Abdi traduz suas palavras conforme apresentado a seguir (perceba que, embora a transcrição sugira algo diferente, Abdi traduz toda vez que um dos líderes termina um pensamento ou uma frase – cada interrupção é indicada pelo símbolo: "..."):

[4] Língua oficial da Somália, país que faz fronteira com o Quênia.

> Este não é um grande problema, ele (Asad) só queria perguntar algumas coisas, alguns esclarecimentos... Quando a MSF veio, eles não tinham tido muitas oportunidades de emprego na vila e houve expectativas que no próximo ano poderiam surgir novos cargos. Então eles têm vivido com base nessas esperanças... Ele diz (rindo) (como?) que quando um pastor quando dois pastores se juntam eles estão sempre caminhando juntos, mas cada um tem a sua própria agenda (sorrindo)... Tudo o que queremos expressar é que nós somos vizinhos muito próximos e nós temos muitas pessoas pobres que estão desempregadas nessa vila... Eles disseram que vocês devem olhar em nossa direção porque nós somos vizinhos muito próximos uns aos outros e nós temos apoiado a MSF conforme foi solicitado e se há uma oportunidade que eles gostariam de pegar... Talvez outra questão seja sobre os motoristas, o anúncio sobre motoristas que eles viram no expositor. Até onde eles sabem, existem motoristas que estão trabalhando para a MSF antes e eles também foram comunicados para se inscreverem. Eles gostariam de saber o que é essa situação... A outra questão é sobre a cerca do local de despejo. Eles só queriam saber como será porque nós tivemos uma reunião pela manhã com o outro grupo... Essas são apenas algumas questões que eles têm para essa sessão...

O interessante na primeira parte da conversa são a hesitação e a forma indireta com a qual o Asad se expressa. Está claro que ele solicita muitas coisas à MSF, todavia ele é extremamente cauteloso para não se passar como insistente. No que diz respeito ao ventriloquismo, percebemos que não é somente ele que está se expressando, mas também uma forma de respeito ou cautela que deve definir/ditar o tipo de relação de respeito que ele está tentando estabelecer com seu interlocutor. Em seguida, vemos como Asad usa a analogia ("[como?]... um pastor") e a metáfora ("nós somos vizinhos") para estruturar suas solicitações: Ele não vai direto ao ponto, mas atende a suas demandas ao querer dizer que o povo da vila e a MSF têm um relacionamento de vizinhança – uma relação recíproca – eles estão **em dívida** um com o outro, apesar do fato de eles serem dois pastores que coincidentemente se conheceram e possuem agendas diferentes. Ele, portanto, está falando **como** um pastor, mas também **como** um vizinho. Essas figuras permitem que ele introduza uma terceira figura, como por exemplo, o princípio da reciprocidade, sob as quais pastores e vizinhos devem ser conectados a esse princípio. Por sua vez, esse princípio **dita** que a MSF **deveria** fazer alguma coisa pela vila, visto que a comunidade fez diversas coisas para a organização.

O segundo líder, Nadif, segue o raciocínio de Asad, e Abdi traduz:

> Ele (Nadif) diz que agora que a MSF veio para cá e voltou e nós também sabemos que a MSF é uma organização humanitária internacional... Existem muitos problemas no estágio inicial... Ele disse que muitas pessoas estavam lutando contra a MSF quando eles vieram para cá... Ele diz que eles foram os que apoiaram a MSF e disseram que a MSF deveria permanecer em Sauri... E ele diz que sabe que a MSF não apenas virá e irá ajudar os refugiados, eles também vieram para ajudar os nativos... Ela está provendo assistência aos refugiados e aos nativos... E ele diz que a comunidade hospedeira respondeu muito bem à aceitação da MSF... E ele diz que a MSF tem contratado vários empregados, trabalhadores... A maioria dos trabalhadores está trabalhando para a JTZ (outra ONG) e eles acabaram de tomar conta de todo o hospital e dos trabalhadores... Ele diz que eles trataram de empregar apenas uma pessoa da vila... E nós já falamos isso à MSF, que eles têm apenas uma pessoa da localidade trabalhando para a MSF... Ele disse que eles trouxeram uma lista de nomes para eles poderem considerar como empregados...E nós achamos que a lista de nomes ainda está presente, jogada no escritório...Agora nós estamos em um novo ano...E ele diz que ainda parece que há uma oportunidade para essas pessoas que deve ser considerada...Ele diz que tem um motorista específico que tem trabalhado para a MSF... E ele foi contratado com precaução... Ele agora é o único que está trabalhando com a MSF, mais outra pessoa, então nós só temos duas pessoas na MSF... Essas são somente duas questões, poucas questões que eles citaram.

Perceba como o Nadif faz uma manobra comunicativa semelhante para organizar a discussão (ou melhor: negociação) e define a natureza da relação recíproca entre MSF e a vila, embora ele seja menos analógico e metafórico em sua abordagem. Ele tenta criar a impressão que, ao contrário de outros, a vila deles tem estado do lado da MSF desde o dia em que a organização chegou à vila. Portanto, ele parece sugerir que, é **natural** ou **lógico** empregar mais "do seu povo" (por exemplo, da sua vila) – e não "apenas um". Aqui também nós vemos o ventriloquismo em ação com o propósito de reforçar a forma como Asad cultiva uma realidade específica, uma realidade construída pela dívida, reciprocidade, e expectativas mútuas – figuras que, de novo, **ditam** que a MSF deveria contratar mais pessoas da comunidade deles.

Essa apresentação da situação durou uns bons 10 minutos. E agora é a vez de James reagir. Ele começa dizendo "Ok":

> Ok... Ok. Obrigada por terem vindo hoje. Talvez eu possa responder os comentários que vocês fizeram... Aham, eu acho que nós tivemos muitas reuniões (sorrindo) onde nós discutimos os procedimentos de emprego da MSF... E nós trabalhamos juntos e discutimos juntos e concordamos que os princípios de abertura e transparência quando tivesse uma vaga uuuuhhhh qualquer um que estiver adequadamente qualificado pode concorrer uuuhhm e aí o melhor candidato para a vaga será selecionado... Então a mesma política que nós acertamos em 2009 ainda é válida para 2010 (sorrindo)... UUuhhhm, é interessante, quero dizer, talvez vocês possam me dar uma mão aqui, Abdi, que nós dissemos que existe apenas uma pessoa de Sauri que tem um emprego. Quantos vocês estimariam que...

Nesse momento, Abdi e os líderes locais entram em pequena discussão sobre quantas pessoas realmente estão empregadas na MSF, depois disso, James continua:

> Bem, eu quero dizer, meu amigo aqui, caro colega, disse **um**. Nós temos apenas um emprego dado a Sauri e, vocês sabem, nós temos discussões amigáveis, mas é bom que nós sejamos honestos uns com os outros e sabemos que não é apenas um, é? (sorrindo)

De novo o líder e o tradutor discutem e sorrisos/risadas aumentam. Ao final, eles concordam que "não é um". Portanto, rindo, James diz:

> Então nós temos algum acordo, nós estamos juntos! (sorrindo) Bom. Ok.

O que podemos inicialmente perceber aqui é que o modo como James reage às solicitações dos líderes locais é, de certa forma, semelhante à maneira como o Robert responde na primeira análise. James descarta a questão da analogia com o pastor, a metáfora do vizinho etc. e vai direto ao ponto – uma objetividade que observamos na maneira como muitos representantes da MSF se comunicam. Em segundo lugar, James **dá boas-vindas** a eles, mesmo que a interação já tivesse acontecendo por um tempo. Ao fazer isso, ele está assumindo o controle da situação: Eles claramente estão nas mãos **dele**. Essas primeiras observações apontam para o cultivo da independência de James – ele próprio e não a organização que ele ventriloquiza (fala por). Todavia, o que parece ser o mais importante para nosso exemplo do cultivo comunicativo de independência da MSF é como a reação/intervenção de James é sobre "deixar as coisas alinhadas" e sobre seguir os procedimentos da organização. Isso se torna particularmente claro quando ele responde a Nadif mencionando a questão do ser um "novo ano": "Então a mesma política que nós acordamos em 2009 ainda é válida para 2010 (sorrindo)". Ele está, parece, simplesmente ventriloquizando o acordo que foi feito antes (e logo presume-se que é legítimo) e dá a impressão de ter pouca simpatia por aqueles que são despachados. Nós ainda poderíamos dizer que ele se apresenta como sendo a "voz da razão", "transparência", "honestidade" etc. – figuras (de autoridade) que devem transferir responsabilidade a seu posicionamento. Ele está lá para relembrá-los daquilo que já sabem – mas (convenientemente) parecem ter esquecido.

James continua com um viés semelhante, frequentemente mostrando a seus interlocutores tudo que parece ser evidente (de modo quase autoexplicativo) para ele:

> Auuhmm então a questão da vaga de motorista... Então a vaga é divulgada, qualquer pessoa com a qualificação adequada pode concorrer, uuhhm, incluindo, uh, as duas pessoas que são trabalhadores ocasionais no presente porque eles têm esse status e existe uma vaga com outro status. Então é bom, se eles escolhem, porque eles não têm que escolher, uhm, mas voluntariamente eles podem concorrer àquela posição, como qualquer outra pessoa...Ok? Então a... eu acho que nós recebemos as inscrições, nós faremos as entrevistas e escolheremos o melhor candidato para o trabalho, independentemente de ele ser conhecido ou novo para a organização... isso está Ok?

O terceiro líder, Taban, entra rapidamente na conversa (ele fala em inglês):

> Sim, mas nós temos um pedido e diz respeito a: quando a MSF precisar de mais de um motorista e existirem alguns motoristas conhecidos que estão trabalhando para eles antes de nós querermos, isso de acordo com o que pensamos, e daí a MSF pega o melhor homem dos conhecidos.

James responde:

> Uhum, sim, mas nós abrimos a vaga para todos e aí nós selecionamos a melhor pessoa, de todo o grupo, para a vaga.

James parece inexorável. Não existe "sucumbir" para ele. Ao fazer isso, ele solidifica a independência da MSF (e a sua própria). Ele (MSF) não está disposto a apelar para a reciprocidade e para o endividamento – figuras que poderiam ameaçar a sua independência (ou da organização). Na verdade, como veremos em breve, James parece argumentar que não seria **justo**, ou **razoável** para os outros, estar aberto a isso. As figuras de justiça e razão, portanto, aparecem para formar uma rede conceitual que o James mobiliza para dar apoio aos procedimentos da MSF e para manter um sentido de controle sobre tudo que é feito (por exemplo, permanece independente quanto a quem eles podem escolher para os cargos que eles têm de preencher).

O primeiro líder, Asad, reage a James, e Abdi opina:

> Sim, ele (Asad) diz que é um pedido que nós temos tantos desempregados na vila e agora que Dalmar (nome de um motorista da MSF) já estava no sistema da MSF trabalhando como um conhecido eles não ficarão felizes de vê-lo voltar para a vila, desempregado de novo. Então eles dizem que eles estão colocando o pedido deles na MSF que o Dalmar pode ser considerado... Eles dizem que nós não estamos forçando para aceitá-lo, mas é um pedido especial.

Esta última exposição é particularmente interessante, pois significa uma mudança sutil na abordagem de Asad, um desvio sutil de suas indiretas usuais. Perceba, contudo, como ele ainda estrutura sua demanda como um pedido, não uma ameaça – talvez ela devesse ser compreendida como uma chamada de atenção implícita. Ao testar uma possível insatisfação do povo da vila (o povo da vila cujos interesses eles estão ventriloquizando/testando), os descontentamentos potenciais implicitamente somam peso a sua intervenção. Apesar de seus interlocutores intermediários, James está falando para uma vila inteira de prováveis insatisfeitos. Asad parece estar sugerindo que essa situação, portanto/é claro, demanda algum tipo de ação por parte da MSF para alinhar as coisas.

Nesse ponto, James fica um tanto quanto sério. É apenas especulação, mas parece que sua reação é aguçada, pelo menos em parte, pela palavra "forçar", que aparenta ativar o seu (o da organização) comprometimento com a independência:

> Sim, eu digo, nós estamos felizes em ouvir seu ponto de vista e eu estou feliz em ouvir que eles não estão nos forçando a fazer alguma coisa, o que é bom uuuhhm, mas, você sabe, (nome do motorista) será considerado como todos os outros (não está sorrindo, está muito sério)... E uma gama de fatores é sempre levada em conta quando o assunto é contratar pessoas, habilidades, experiências, atitude, motivação, vontade de trabalhar duro, todos esses fatores são levados em consideração quando se decide empregar alguém... Então no fim do dia nós escolhemos o melhor candidato para suprir as necessidades dos beneficiários... Isso está Ok? (sorrindo um pouco)... Indo para o próximo ponto... O último ponto acho que foi a questão da cerca e eu acho que o Abdi pode explicar que nós fizemos um acordo informal que eu creio compartilhar a oportunidade de emprego para ambos (povos das vilas) e parece que nós estamos compartilhando isso ao pegar pessoas da comunidade hospedeira, em vez de pegar de outro lugar e nós achamos que esse é um compromisso razoável compartilhar essa oportunidade entre as duas comunidades hospedeiras com as quais nós trabalhamos... (o tradutor pergunta se ele deveria continuar explicando) Sim, eu acho que sim, eu não acho que há muito mais que isso para ser complementado. Você pode dar os detalhes.

Essa passagem ilustra nossa referência anterior ao fato de que a independência faz parte de uma rede conceitual de outras figuras, tais como "responsabilidade", "justiça" e "razão". Por meio de sua intervenção, ele posiciona a MSF como o árbitro central; aquele cuja legitimidade e autoridade, levando em consideração a tomada de decisões, não precisam ser questionadas.

Asad conclui, utilizando outra analogia – durante a pesquisa de campo na África, aprendeu-se que analogias, metáforas, pressupostos de silogismos etc. são parte da forma como as pessoas debatem/negociam:

> Ele (Asad) diz que na cultura da Somália quando você traz seus animais ao poço... O poço é profundo, você sabe, às vezes, você deve buscar água. Então a pessoa normalmente que vai lá, às vezes, nós precisamos buscar talvez dois baldes de água e aí o outro que está no topo do poço puxa e diz, não, não, eu quero sair e daí ele diz mas você acabou de entrar agora então como você pode simplesmente

> sair... Ele diz isso é porque eu estou um pouco impaciente, eu estou cansado. Então ele diz que quando ele vem e pergunta sobre mais emprego é porque eles têm muitas pessoas em casa que estão sempre pressionando eles a procurar alguma coisa. Então ele diz você não se surpreenda conosco quando nós viermos até você e nós ainda estamos procurando emprego. (sorrindo)

James conclui dizendo:

> Eu não estou surpreso. (rindo) Eu estou muito feliz de conhecê-los...Obrigado.

Perceba como James, até o final, não muda seu curso (de ação comunicativa). Apesar do Asad agora estar, aparentemente, se desculpando por apresentar seus pedidos, e por fazer isso no futuro – porque o povo da vila por quem ele fala não quer que eles saiam do poço, uma vez que eles "acabaram de entrar" –, James não reconhece, explicitamente, o peso e a seriedade da analogia. De modo diferente, sua maneira de responder e concluir a reunião ("Eu não estou surpreso. (rindo) Eu estou muito feliz de conhecê-los... Obrigado.") não necessariamente reconhece ou demonstra as preocupações subjacentes de seu interlocutor. Enquanto mostrar alguma compreensão ("Eu não estou surpreso.") parece ser aceitável para ele, de novo ele parece equiparar a questão do reconhecimento das preocupações explícitas com a questão de tornar-se endividado, tornar-se parcial, dependente, subjetivo, e com perder a objetividade, a razão, a justiça a independência.

Considerações finais

Neste capítulo, apresentamos um novo olhar para a cultura organizacional: uma forma que nos permite emitir conceitos e empiricamente estudar sua constituição comunicativa. Foram oferecidos, portanto, *insights* valiosos para ampliar a pesquisa em CCO (ver ASHCRAFT, KUHN; COOREN, 2009; COOREN, TAYLOR; VAN EVERY, 2006; FAIRHURST; PUTNAM, 2004; PUTNAM; NICOTERA, 2009; MCPHEE; ZAUG, 2000; TAYLOR; VAN EVERY, 2000, 2011), a qual não tem se referido a essa questão de forma muita aprofundada.

Antes de tudo, ambas as nossas análises mostram como dar enfoque à forma como uma cultura organizacional é cultivada por meio de atos de ventriloquismo, os quais contêm *insights* para a coprodução de um compartilhamento de um coletivo social. Esse foco também elucida como os membros organizacionais agem fazendo valer e reforçando o cultivo de uma realidade **específica** (ver também BERGER; LUCKMAN, 1966) que corresponda a políticas, procedimentos, acordos, valores organizacionais etc., e como esse cultivo pode diferir da (ou conflitar com a) realidade que é cultivada pelos outros, tais como funcionários locais ou líderes de vila. Como Grainger (1993, p. 249) afirma, referindo-se a Emerson (1970), "situações 'delicadas' podem abranger definições múltiplas da realidade que estão potencialmente em conflito, fazendo com que a situação fique instável, em termos de relações sociais" (p. 247). Isso parece se aplicar aos encontros interculturais que examinamos em particular. A visão performativa da cultura desenvolvida neste capítulo revela o "trabalho" comunicativo que acontece em choques de culturas, por que tais choques se perpetuam e como eles podem ser resolvidos.

Em conformidade com o exposto, a perspectiva analítica que desenvolvemos será útil para os interessados em estudar o papel do poder e da política na constituição comunicativa das culturas organizacionais (MUMBY, 1987; TRACY, 2000). Nossa segunda análise, em especial, mostra, por exemplo, como a cultura da MSF tem dado importância, por meio de vários atos de ventriloquismo, a uma interação organizacional diária um tanto quanto comum. No decorrer de nosso trabalho de pesquisa de campo, observamos como os representantes da MSF mantiveram sua (da organização) independência ao "suscitar" (ELLOUK, 2011) figuras como "responsabilidade", "razão" e "justiça". Ao trazer à tona "espectros" (DERRIDA, 1994) como esses, há uma transferência de responsabilidade para suas palavras e ações, dando a elas efeito, poder, e fazendo afirmações específicas difíceis de serem refutadas.

A MSF está cada vez mais preocupada com o modo como ela está sendo percebido pelas pessoas das inúmeras culturas nacionais e regionais nas quais ela opera (ABU-SADA, 2011). Sendo capaz de modificar "espaços de percepção" – um termo que ouvimos frequentemente durante o trabalho de campo –, o que é importante por questões muito práticas. No momento em que as pessoas sabem, por exemplo, que a MSF não é associada ao governo dos Estados Unidos, é menos provável que os jipes e outros artefatos da organização sejam atacados pelos antiamericanistas. Parece, então, que a organização cultiva uma concepção metafórica da comunicação como transmissão, ou como conduíte, e seus membros parecem ter a intenção de utilizar a comunicação de forma instrumental, por exemplo, para fazer com que os nativos estejam a par da realidade **deles**. Por sua vez, enxergar a comunicação em um sentido mais construtivista poderia ser considerado uma alternativa não desejável, irracional e imprudente, uma vez que essa perspectiva poderia levar à perda de independência, de poder/controle, de identidade organizacional e da habilidade de sobreviver, quase literalmente, em extrema dificuldade e em circunstâncias geralmente perigosas.

Evidentemente, nossas duas análises ofereceram apenas uma amostra da constituição comunicativa da cultura de independência da MSF, por meio das interações diárias em contextos culturais muito específicos, todavia, como foi dito, observamos muitos desses padrões em outros contextos também. Parece, portanto, que a cultura da organização é constituída na ação, repetidamente, por meios mais ou menos semelhantes de comunicação (e de ver a comunicação), e é possível falar da atuação da MSF de acordo com um *modus operandi* comunicativo mais ou menos "imutável" (COOREN et al., 2007) nos contextos culturais (MATTE, 2006).

Convidamos outros pesquisadores a utilizar e desenvolver mais a fundo a perspectiva aqui apresentada, com o intuito de adquirir maior compreensão das formas como as culturas organizacionais são desempenhadas (negociadas, ajustadas, modificadas etc.) por meio dos atos de ventriloquismo. Investigar esses processos em outros contextos organizacionais e culturais será importante, pois isso ajudará a determinar o quão típicos ou "transferíveis" (LINCOLN; GUBA, 1985) são os resultados deste estudo.

Referências

ABU-SADA, C. *Dans l'oeil des autres*: perception de l'action humanitaire et de MSF. Lausanne, Suíça: Editions Antipodes, 2011.

ALVESSON, M.; KÄRREMAN, D. Varieties of discourse: on the study of organizations through discourse analysis. *Human Relations*, v. 53, n. 9, p. 1125-1149, 2000.

ASHCRAFT, K. L.; KUHN, T. R.; COOREN, F. Constitutional amendments: "materializing" organizational communication. In: WALSH J. P.; BRIEF A. P. (eds.). *The academy of management annals*. Londres, RU: Routledge, 2009. v. 3, p. 1-64.

BENOIT BARNÉ, C.; COOREN, F. The accomplishment of authority through presentification: how authority is distributed among and negotiated by organizational members. *Management Communication Quarterly*, v. 23, n. 1, p. 5-31, 2009.

BERGER, P.; T. LUCKMANN. *The social construction of reality*. Harmondsworth, RU: Penguin, 1996.

BRUMMANS, B. H. J. M. The Montreal School and the question of agency. In: COOREN, F.; TAYLOR; J. R.; VAN EVERY, E. J. (eds.). *Communication as organizing*: empirical and theoretical explorations in the dynamic of text and conversation. Mahwah, NJ: Lawrence Erlbaum, 2006. p. 197-211.

BRUMMANS, B. H. J. M.; PUTNAM, L. L. New directions in organizational culture research: a review of Martin's "Organizational Culture: mapping the Terrain" and Alvesson's "Understanding Organizational Culture." *Organization*, v. 10, n. 3, p. 640-644, 2003.

BRUMMANS, B. H. J. M.; COOREN, F.; CHAPUT, M. Discourse, communication, and organisational ontology. In: BARGIELA-CHIAPPINI, F. (ed.). *The handbook of business discourse*. Edinburgh, RU: Edinburgh University Press, 2009. p. 53-65.

CHAPUT, M.; BRUMMANS, B. H. J. M.; COOREN, F. The role of organizational identification in the communicative constitution of an organization: a study of consubstantialization in a young political party. *Management Communication Quarterly*, abr. 2011.

CHENEY, G. The many meanings of "solidarity": the negotiations of values in the Mondragón worker-cooperative complex under pressure. In: SYPHER, B. D. (ed.). *Case studies in organizational communication*. Nova York: Guilford, 1997. v. 2, p. 68-84.

CHENEY, G. *Values at work*: employee participation meets market pressure at Mondragón. Ithaca, NY: Cornell University Press, 1999.

COOREN, F. *Action and agency in dialogue*: passion, incarnation, and ventriloquism. Amsterdã: John Benjamins, 2010a.

_________ . Comment les textes écrivent l'organisation. Figures, ventriloquie et incarnation. *Études de communication*, v. 34, p. 23-37, 2010b.

_________ . Ventriloquie, performativité et communication. Ou comment fait-on parler les choses. *Réseaux*, v. 28, n. 163, p. 33-54, 2010c.

COOREN, F.; FAIRHURST, G. T. Dislocation and stabilization: how to scale up from interactions to organization. In: PUTNAM, L. L.; NICOTERA, A. M. (eds.). *Building theories of communication*: the constitutive role of communication. Mahwah, NJ: Lawrence Erlbaum Associates, 2009. p. 117-152.

COOREN, F.; MATTE, F. For a constitutive pragmatics: Obama, Médecins Sans Frontières and the measuring stick. *Pragmatics & Society*, v. 1, n. 1, p. 9-31, 2010.

COOREN, F.; BRUMMANS, B. H. J. M.; CHARRIERAS, D. The coproduction of organizational presence: a study of Médecins Sans Frontières in action. *Human Relations*, v. 61, n. 10, p. 1339-1370, 2008.

COOREN, F. et al. Arguments for a plurified view of the social world: spacing and timing as hybrid achievements. *Time & Society*, v. 14, n. 2/3, p. 263-280, 2005.

_____________ . A humanitarian organization in action: organizational discourse as an immutable mobile. *Discourse and Communication*, v. 1, n. 2, p. 153-190, 2007.

COOREN, T.; TAYLOR, J. R.; VAN EVERY, E. J. (eds.). *Communication as organizing*: empirical and theoretical explorations in the dynamic of text and conversation. Mahwah, NJ: Lawrence Erlbaum, 2006.

DERRIDA, J. *Specters of Marx*: the state of the debt, the work of mourning, and the New International. Nova York: Routledge, 1994.

ECO, U. *A theory of semiotics*. Bloomington, IN: Indiana University Press, 1976.

EISENBERG, E. M.; RILEY, P. Organizational culture. In: JABLIN, F. W.; PUTNAM, L. L. (eds.). *The new handbook of organizational communication*: advances in theory, research, and methods. Thousand Oaks, CA: Sage, 2001. p. 291-322.

ELLOUK, J. *La construction identitaire d'une ONG par la communication*: le cas de Médecins Sans Frontières (unpublished master's thesis). Université de Montréal, Montreal, Canadá, 2011.

EMERSON, J. Behavior in private places: sustaining definitions of reality in gynecological examinations. In: DREITZEL, H. P. (ed.). *Recent sociology*, n. 2: patterns of communicative behavior. Londres, RU: Macmillan, 1970. p. 74-97.

FAIRHURST, G. T.; PUTNAM, L. L. Organizations as discursive constructions. *Communication Theory*, v. 14, n. 1, p. 5-26, 2004.

GOLDBLATT, D. *Art and ventriloquism*: critical voices in art, theory and culture. Nova York: Routledge, 2006.

GRAINGER, K. "That's a lovely bath dear": reality construction in the discourse of elderly care. *Journal of Aging Studies*, v. 7, n. 3, p. 247-262, 1993.

LINCOLN, Y. S.; GUBA, E. G. *Naturalistic inquiry*. Newbury Park, CA: Sage, 1985.

MARCHIORI, M. *Cultura e comunicação organizacional*. 2. ed. São Caetano, Brasil: Difusão, 2008.

MARTIN, J. *Cultures in organizations*: three perspectives. Oxford, RU: Oxford University Press, 1992.

MARTIN, J. *Organizational Culture*: mapping the terrain. Thousand Oaks, CA: Sage, 2001.

MATTE, F. *L'aide humanitaire d'urgence en action*: le cas de Médecins Sans Frontières (MSF) (unpublished master's thesis). Université de Montréal, Montreal, Canadá, 2006.

MCPHEE, R. D.; ZAUG, P. The communicative constitution of organizations: a framework for explanation. *The Electronic Journal of Communication/La Revue Electronique de Communication*, 10.

MÉDECINS SANS FRONTIÈRES (2011). *About us*. Disponível em: <http://www.doctorswithoutborders.org/aboutus/charter.cfm>. Acesso em: 14 out. 2013.

MEUNIER, D.; VASQUEZ, C. On shadowing the hybrid character of actions: a communicational approach. *Communication Methods and Measures*, v. 2, n. 3, p. 167-192, 2008.

MUMBY, D. K. The political function of narrative in organizations. *Communication Monographs*, v. 54, p. 113-127, 1987.

MURPHY, A. G. Hidden transcripts of flight attendant resistance. *Management Communication Quarterly*, v. 11, n. 4, p. 499-535, 1998.

PACANOWSKY, M. E.; O'DONNELL-TRUJILLO, N. Organizational communication as cultural performance. *Communication Monographs*, v. 50, p. 126-147, 1983.

PEPPER, G. L. *Communicating in organizations*: a cultural approach. Nova York: McGraw-Hill, 1995.

PETTIGREW, A. M. On studying organizational cultures. *Administrative Science Quarterly*, v. 24, n. 4, p. 570-581, 1979.

PUTNAM, L. L.; NICOTERA, A. M. (eds.). *Building theories of communication*: the constitutive role of communication. Nova York: Routledge, 2009.

SMIRCICH, L. Studying organizations as cultures. In: MORGAN, G. (ed.). *Beyond method*: strategies for social research. Beverly Hills, CA: Sage, 1983a. p. 160-172.

SMIRCICH, L. Concepts of Culture and Organizational Analysis. *Administrative Science Quaterly*, v. 28, n. 3, p. 339-358, 1983b.

SMITH, R.; EISENBERG, E. Conflict at Disneyland: a root metaphor analysis. *Communication Monographs*, v. 54, p. 367-380, 1987.

TAYLOR, J. R. *Rethinking the theory of organizational communication*: how to read an organization. Norwood, NJ: Ablex, 1993.

TAYLOR, J. R.; VAN EVERY, E. J. *The emergent organization*: communication as its site and surface. Mahwah, NJ: Lawrence Erlbaum Associates, 2000.

TAYLOR, J. R.; VAN EVERY, E. J. *The situated organization*: case studies in the pragmatics of communication research. Nova York: Routledge, 2011.

TAYLOR, J. R.; et al. The communicational basis of organization: between the conversation and the text. *Communication Theory*, v. 6, n. 1, p. 1-39, 1996.

TRACY, S. Becoming a character for commerce: emotion labor, self--subordination, and discursive construction of identity in a total institution. *Management Communication Quarterly*, v. 14, n. 1, p. 90-128, 2000.

TRUJILLO, N. "Performing" Mintzberg's roles: the nature of managerial communication. In: PUTNAM, L. L.; PACANOWSKI, M. E. (eds.). *Communication and organizations*: an interpretive approach. Newbury Park, CA: Sage, 1983. p. 73-97.

___________ . Interpreting (the work and talk of) baseball: perspectives on baseball park culture. *Western journal of Communication*, v. 56, p. 350-371, 1992.

TRUJILLO, N.; DIONISOPOULOS, G. Cop talk, police stories, and the social construction of organizational drama. *Central States Speech Journal*, v. 56, p. 196-209, 1987.

WEICK, K. E. *The social psychology of organizing*. 2. ed. Nova York: McGraw-Hill, 1979.

___________ . *Sensemaking in organizations*. Thousand Oaks, CA: Sage, 1995.

WEICK, K. E.; PUTNAM, T. Organizing for mindfulness: eastern wisdom and western knowledge. *Journal of Management Inquiry*, v. 15, n. 3, p. 275-287, 2006.

CULTURAS DE ORGANIZAR E COMUNICAR: IMPLICAÇÕES PARA O ENTENDIMENTO DE AÇÕES E INTERVENÇÕES ESTRATÉGICAS

Robert Chia

> A civilização humana é uma consequência da linguagem, e a linguagem é o produto de uma civilização em ascensão... A mentalidade da humanidade e a linguagem da humanidade criaram um ao outro (WHITEHEAD, 1938, p. 49-57).

> Nós herdamos uma ordem observacional, nomeamos tipos de coisas que nós, de fato, discriminamos; e nós herdamos uma ordem conceitual, um sistema rígido de ideias em termos do que nós, de fato, interpretamos... Discriminação observacional não é ditada por fatos imparciais (WHITEHEAD, 1933, p. 183).

Modos de organizar e comunicar são fenômenos essencialmente sócio-históricos e culturais; características indeléveis de processos civilizadores específicos. Como nos comunicamos e coletivamente organizamos nossos esforços com o intuito de garantir a sobrevivência, o progresso e a sustentabilidade são elementos profundamente influenciados por circunstâncias materiais, históricas e culturais nas quais nos encontramos e sabemos que não é algo desenvolvido individualmente. Apesar do advento da globalização e da abertura de canais de comunicação, a vida moderna civilizada em diversas partes do mundo difere, significativamente, nas formas pelas quais o espaço, o tempo e os recursos materiais são considerados, priorizados e mobilizados para suprir os desafios e as demandas da vida cotidiana. Neste capítulo, é examinado como, no Ocidente e no Oriente, estruturas perceptivas, bem como modos preferidos de comunicação e comprometimento, desempenham diferentes papéis críticos na formação de prioridades estratégicas, escolhas organizacionais e relações sociais. No Ocidente, por exemplo, a adoção disseminada do sistema de escrita alfabética criado pelos fenícios, com a defesa de uma perspectiva mais direta e deliberada ao lidar com questões humanas, moldou as atitudes contemporâneas voltadas para a organização, para a comunicação e para a tomada de decisão. Em uma ordem mundial com características de constantes mudanças econômicas e políticas, contudo, o Oriente, mais especificamente, a China, tem começado a assegurar sua presença. É notória, assim, a necessidade de reexaminar, criticamente, as raízes teóricas desta ortodoxia do Ocidente e contrastá-la com um grupo vastamente diferente de imperativos culturais, filosóficos e linguísticos do Oriente, com o intuito de destacar suas diferenças intrínsecas e compreender como essa materialidade afeta os resultados organizacionais e de comunicação.

Para iniciar, aborda-se o fato que a alfabetização da mente ocidental e uma ênfase no engajamento direto no militarismo da Grécia antiga têm precipitado uma perspectiva cultural que privilegia o ser, a substância e as entidades como a base da realidade. Interpretação essa propensa à análise racional, à representação linguística e ao engajamento de confrontação direta na condução das questões humanas. Em seguida, há uma comparação com a tradição oriental em que relações de evolução, mudança e transformação são elevadas a uma forma, no Oriente, essencialmente movimento-sensitiva de escrever predominante, que é feita para incorporar a natureza fugaz, transitória e efêmera da experiência vivida. Um resultado dessa ênfase oriental é que seus meios preferidos de comunicação e modos de comprometimento estratégico são decididamente mais indiretos, sinuosos e não confrontacionais como no Ocidente. Para elucidar essas questões, são discutidos os resultados em prioridades e preocupações distintamente diferentes em tomada de decisão organizacional.

Pensamento atomístico do Ocidente: elevando a representação e a ação direta

> A ideia de "ser" é o ponto de Arquimedes do pensamento do Ocidente... Toda a tradição da civilização do Ocidente gira em torno deste ponto (TAKEUCHI, 1959, p. 292).

Ordens sociais, modos de discriminação e tendências comportamentais são muito dependentes da linguagem e das respostas coletivas habituais de uma coletividade social (WHITEHEAD, 1938, p. 49-57). Esses impulsos de civilização transmitidos historicamente proporcionam o pano de fundo contra o qual prioridades organizacionais, formas de comunicação e ação estratégica devem ser entendidas. No Ocidente, a adaptação e a disseminação do sistema de escrita alfabético em grego desde o século 8 a.C. e a estância de confrontação deliberada adotada no sistema militar da Grécia durante esse mesmo período foram dois impulsos-chave de impacto monumental em sua psique coletiva. Em seguida, serão esboçadas as influências profundas desses dois eventos seminais na história do pensamento ocidental, em uma tentativa de demonstrar como eles moldaram irrevogavelmente as mentalidades, atitudes e disposições contemporâneas do Ocidente.

A alfabetização da mente do Ocidente

É difícil considerar um exagero o fato de a introdução do alfabeto na Grécia antiga ter, de forma esmagadora, influenciado as mentalidades e as formas de pensar do Ocidente. Como o renomado clássico Eric Havelock propõe:

> Se hoje em dia nós estamos, frequentemente, tentados a falar da "mente europeia" ou da "mente do Ocidente", mesmo sabendo que essas determinações são vagas, elas têm uma base factual no que diz respeito àquelas culturas que continuaram a empregar a invenção grega (o alfabeto) (HAVELOCK, 1982, p. 346).

A adoção, pelos gregos, do sistema alfabético criado pelos fenícios modificou as **proporções de sentido** (McLuhan, 1967) de forma visual, táctil e auditiva de uma cultura oral predominantemente prévia, possibilitando, dessa maneira, que uma "mentalidade ABCDE" aristotélica viesse à tona (Ong, 1982). De uma só vez, a alfabetização do pensamento irreversivelmente transformou uma tradição oral previamente homérica (Parry, 1987) em uma cultura na qual a palavra, até então, falada, fugaz, móvel e efêmera passou a ser crescentemente detida, consertada e exposta em sua forma estática nos formatos comuns do alfabeto; *verba volant, scripta manent*! Daí em diante, as características narrativas alusivas da tradição oral crescentemente perderam para o privilégio de uma forma de argumentação enxuta, linear e lógica, que hoje permanece em evidência no discurso do Ocidente.

A vantagem do sistema alfabético, diferentemente da escrita ideográfica chinesa, está em suas alarmantes economia e flexibilidade do uso em comunicação. O sistema alfabético facilitou uma mudança profunda na mentalidade do Ocidente, criando uma forma abstrata e linear de racionalizar que, sutilmente, considerou a visão acima do som. Diante disso, pensamento e conhecimento passaram a ser intimamente associados a metáforas visuais: "observação" enfatiza os dados visuais; "fenômeno" em grego significa "exposição à visão"; "definição" vem de *definire*, desenhar uma linha em torno, e assim por diante. A cultura alfabética, ao pôr ênfase em delineamentos precisamente observáveis e em sequências evidentes, tornou, até o presente momento, a palavra falada mais visível e, portanto, propícia à manipulação cognitiva. O linear, o estático e o sequencial foram postos acima do radial, móvel e metafórico; o **sendo** foi privilegiado no lugar do **tornando-se**. Esse privilégio de formas permanentes construiu o caminho para o método da **atomização** – o romper, o consertar, o nomear, o classificar e o tematizar de fenômenos materiais e sociais –, para dominar o pensamento do Ocidente. Em relação a isso, a tipografia (McLUHAN, 1967; ONG, 1967), as tabelas de classificação, mais bem exemplificadas pelo *Systema Natura* de Linnaeus, a técnica de "metodização" e "análise" (KENNER, 1987), e a obsessão por colecionar (ELSNER; CARDINAL, 1994), todas refletem essa exortação instintiva de abstrair, consertar e representar os fenômenos sociais e materiais no tempo e no espaço.

Tanto Goody (1986) quanto McArthur (1986) também relatam que a escrita alfabética com essa tendência taxonômica está intrinsecamente conectada à organização e ordenação sistemática das sociedades do Ocidente. Em resumo, a introdução do alfabeto precipitou a abstração, a estabilização e a reificação dos fenômenos sociais e materiais para o propósito da análise, bem como encorajou o surgimento de uma lógica linear aristotélica que tem dominado o pensamento do Ocidente por mais de 2 mil anos. Essa propensão à ordem estável, clara e linear encontra sua contrapartida em outro impulso de organizar moderno que também pode ser rastreado à Grécia pré-socrática: a defesa de uma forma direta e frontal de engajamento para lidar com os assuntos do mundo.

Origens da abordagem direta do Ocidente para lidar com as questões humanas

Modos de engajamento em guerra atualmente preferidos são exemplificados pela tática *Shock and Awe* (ULLMAN; WADE, 2007) adotada pelos norte-americanos no Iraque, em 2003, como parte de um legado cultural que remonta a uma mudança decisiva no século 7 a.C. na Grécia, em que o corpo a corpo entre exércitos passou a ser visto como a forma mais eficiente de se enfrentar uma batalha (HANSON, 1989). Durante esse período, os gregos introduziram uma nova estrutura militar, a **falange**, na qual dois corpos de escudos grandes feitos de couraça e com muitas munições eram alinhados e levados a marchar em uma formação rígida sem a possibilidade de escapar de uma colisão frontal com o inimigo. Tal abordagem evitava a adoção de qualquer forma de táticas sub-reptícias envolvendo evasão, emboscada ou perseguição, em favor da nobreza do encontro face a face direto; o combate mão a mão em quadrantes próximos era considerado a única forma confiável de alcançar uma vitória decisiva. Ganhar de qualquer outra forma utilizando táticas desonestas era "trapacear" e/ou demonstrar covardia na batalha (HANSON, 1989, p. 224). Alexandre, o Grande, por exemplo, "recusou alcançar vitória pela vontade dos bandidos e ladrões cujo único desejo era o de não serem percebidos" (JULLIEN, 2000, p. 41).

Essa mudança monumental na atitude em direção a um modo direto de engajamento militar tem irreversivelmente moldado atitudes sociais contemporâneas nas democracias do Ocidente. Para o sinólogo Francois Jullien (2000, p. 44), existe uma homologia entre a noção grega da "falange e a organização da cidade". Assim como as falanges deveriam, portanto, produzir um resultado rápido, decisivo e inequívoco na guerra, na vida política grega, os "argumentos face a face" e os debates públicos "seja no teatro, no tribunal, ou na assembleia", tinham o mesmo fim em mente (JULLIEN, 2000, p. 45). Assim, oradores faziam seus casos na frente uns dos outros, e aqueles montavam uma confrontação de discursos antagonista e face a face. Com ênfase no engajamento direto, na transparência da intenção, na clareza do propósito e na determinação da ação, isso tem se tornado a característica essencial das democracias contemporâneas do Ocidente (JULLIEN, 2000, p. 45). É uma que eleva o heroico, o espetacular e o dramático. Em contraste, os imperativos filosóficos e as predisposições culturais do Oriente tradicional têm resultado em uma abordagem essencialmente indireta em lidar com o mundo de questões que, historicamente, tem sido decididamente anti-heroico, imperceptível e oblíquo em caráter. Em seguida, será examinado esse delineamento filosófico e cultural alternativo e suas consequências mais detalhadamente.

Pensamento processual oriental tradicional: alusão na comunicação e obliquidade na ação

> [...] para os chineses o mundo real é dinâmico e final, um organismo feito de uma infinidade de organismos (NEEDHAM, 1962, p. 292, v. 2).

> [...] existe uma conscientização desejada da incompetência da afirmação como a maneira de ser do homem (NISHITANI, 1982, p. 31).

Uma realidade transitória e fluida

A intuição vaga de que "tudo passa" e de que o "mundo atual é um processo" (WHITEHEAD, 1929, p. 30) é amplamente aceita no Oriente. São muitas as expressões dessa crença nos textos chineses clássicos, incluindo o *I Ching*, ou *Livro das mutações*, e nas escritas enigmáticas dos filósofos chineses Lao Tzu e Chuang Tzu, as quais aludem à natureza da realidade final como algo mutável, inquieto e, portanto, linguisticamente incompreensível. Mais recentemente, os filósofos japoneses Kitaro Nishida (1921/1990) e Keiji Nishitani (1982), em seu incessante engajamento com o pensamento filosófico do Ocidente, identificaram essa primazia do processo e "inconstância radical" como a base única para a visão de mundo essencialmente oriental. Diferentemente do Ocidente, não há a presunção de alguns domínios "platônicos" mutáveis acima ou além da realidade de experiências vividas. A ordem humana temporária é tudo o que temos, e o propósito da vida é lutar para alcançar além dessa ordem humana e atingir uma unidade com "experiência pura" (NISHIDA, 1921/1990). Por esse motivo, as diversas práticas culturais orientais, tais como a cerimônia do chá, a arte de compor arranjos florais (*ikebana*), o arco e flecha, a caligrafia e a pintura, tanto no Japão quanto na China. estão todas orientadas para o autocultivo e a autoperfeição, em vez de voltadas a propósitos utilitários ou estéticos (SUZUKI apud HERRIGEL, 1953/1985, p. 5).

Na cultura oriental tradicional, as artes de caligrafia e pintura são os melhores exemplos para esses intermináveis processos, movimentos e transformações. Ambas dependem do pincel para "expressar a vitalidade fantasmagórica do Invisível" (JULLIEN, 1995, p. 131). Assim, esses povos tiveram de desenvolver maneiras sofisticadas de expressar movimento e vida na ponta do pincel. Como a arte do *tai chi chuan* ou a arte japonesa do arco e flecha, eles procuram expressar a invisibilidade da respiração, do ritmo e do fluxo, por meio dos gestos e do "desenrolar ininterrupto e espiralado dos movimentos contrastados" (JULLIEN, 1995, p. 131-132). Seu foco principal, portanto, não é representar a realidade precisamente tão quanto é retratar "a rica vida interior do objeto em harmonia com a própria alma do artista" (CHIANG YEE, 1936, p. 84). Para o pensamento oriental, até mesmo "uma lâmina de grama pode sentir o ritmo da vida, e o artista de mente receptiva pode libertar com seu pincel o espírito aprisionado na forma" (CHIANG YEE, 1936, p. 105-106). A habilidade de um calígrafo ou de um pintor, portanto, consiste em empregar uma variedade de acessos sutis para expressar suas percepções sensoriais dentro da composição do trabalho em si. A caligrafia e a pintura chinesas, assim, são exemplos de "dinamismo na operação, como um vindo a ser" ou um **tornando-se**: como se estivesse "registrando a temporalidade do movimento" (JULLIEN, 1995, p. 133) em toda a sua espontaneidade e emergência fluente. Todas as escritas e as pinturas caligráficas orientais preveem expressar o movimento e a percepção emergente e sensorial, ao invés de se preocuparem com significado, fato ou informação.

Obliquidade: privilegiando o implícito, o invisível e o subentendido

Tal preocupação com expressar a fluidez e a espontaneidade do movimento e da mudança está associada à conscientização profunda das inadequações da linguagem, ao representar a realidade vivida, e isso está aliado a uma suspeita arraigada do explícito e do manifesto. Como resultado, o implícito, o invisível e o subentendido são privilegiados nas estratégias organizacionais e de comunicação orientais. Tal atitude geralmente intriga a mente ocidental, conforme Carter (1990, p. 14), astutamente, observa:

> Pode ser que uma tradição de análise e verbalização acredite que ela seja menos óbvia do que conscientizações preconceituais e prelinguísticas sejam possíveis, e que uma tradição de silêncio meditativo e ceticismo que considera a adequação da linguagem acharia os preconceituais e as prelinguísticas necessários para um entendimento correto de qualquer e de todas as atividades discursivas.

Diante disso, ao invés de uma precisão e clareza lineares na argumentação lógica encontrada no Ocidente, a mente oriental prefere "contornar uma questão, atirando dicas sutis que permitem que apenas um ouvinte cuidadoso acredite onde o centro omisso das questões está" (VAN BRAGT, 1982, p. 40). A comunicação do pensamento é oblíqua, sugestiva e simbólica, ao invés de lógica, descritiva e precisa. As palavras são empregadas como meras indicações para aludir a um mundo omisso, porém conhecido, além dos domínios da intelecção. Essa reticência por comunicação e engajamento diretos e precisos está relacionados com: (1) uma crença na natureza processual e fluida da realidade; (2) uma suspeita concomitante da adequação da linguagem para capturar essa realidade em constante fluidez e mudança; e (3) um desejo arraigado de manter a harmonia em relações humanas, ao não romper o esquema dominante de coisas, mas permitir que situações "amadureçam" e se desenrolem em seu devido tempo. A forma indireta da comunicação e a obliquidade do engajamento são, portanto, duas características-chave da abordagem oriental em lidar com questões práticas. Tal perspectiva indireta possibilita que a pessoa expresse um sentimento de forma oblíqua, levando em consideração uma visão de longo prazo, não para enaltecer egos, prejudicar relações frágeis ou perturbar a "harmonia de vontades" essencial.

Implicações para as intervenções e ações estratégicas

Essas perspectivas metafísicas contrastantes e as predisposições culturais têm afetado, de forma extraordinária, como essas duas culturas contrastantes, ocidental e oriental, abordam intervenções e ações estratégicas. Em seguida, são delineadas algumas das diferenças-chave mais óbvias.

Para começar, o pensamento social do Ocidente, com sua ênfase na substância e na estabilidade, leva o indivíduo a ser autônomo, uma entidade isolada; esse tipo de pensamento subscreve ao **atomismo social.** Isso envolve várias consequências, na medida em que as noções iniciais de agência, escolha e "livre-arbítrio" estão intrinsecamente ligadas a essa aceitação e individualismo. Resultados e desempenhos podem ser, de forma causal, atribuídos às ações de um indivíduo específico e localizável que pode ser responsabilizado pelo sucesso ou pelo fracasso. O surgimento da **meritocracia** (YOUNG, 1958) é, então, uma consequência lógica desse privilégio da agência e da causalidade. A meritocracia tem se mostrado intimamente ligada ao "sonho americano" (MILLER, 2004) e tem, por sua vez, dado origem à estratificação de desempenhos individuais, contribuindo para o estabelecimento de uma hierarquia de capacidades com o mais bem-sucedido do topo da organização. As prioridades e as práticas organizacionais, portanto, giram em torno da configuração de relações formais que devem facilitar a integração de capacidades, preferências e escolhas individuais com objetivos unitários compartilhados. A **motivação** também faz parte da equação na forma de estabelecimento de **medidas explícitas** para ajudar a justificar e a diferenciar o **espetacular** do medíocre, quanto a recompensas e incentivos/não incentivos. O heroico e o espetacular, que por definição acontecem dentro de um cronograma curto, tornam-se a base principal para julgar os desempenhos.

Ao contrário, a intenção do pensamento de entidade e, por conseguinte, o **atomismo social** no Oriente tradicional leva a uma ênfase na natureza precária e constituída-na-relação do indivíduo. O indivíduo é considerado dissociado de seu contexto social e certamente constituído por ele. Portanto, como diz o ditado de Confúcio,[1] "mesmo o cabelo em sua cabeça não pertence a você". Ao invés de uma hierarquia formal construída por mérito, é a ênfase nas **lealdades** de rede e familiares que proveem a base para manter a ordem e a harmonia na comunidade. Nesse contexto altamente relacional, *renqing* (dádiva) e *guangxi* (construindo redes de relacionamentos) formam um aspecto vital integral da abordagem **indireta** do Oriente para **quietamente** transformar situações dinâmicas em plataformas potencialmente vantajosas das quais se tira proveito e com as quais se atingem os resultados almejados. Obrigações e favores são a cola que sela e harmoniza as relações sociais, de forma que os

[1] Confúncio foi um pensador e filósofo chinês (551-479 a.C.). Suas ideias morais, políticas e a religiosas são conhecidas como "confucionismo".

resultados chegam a ser estabelecidos, apesar de isso acontecer de forma desarticulada e não explícita. A ideia de se pedir favor, reconhecimento e promoção diretamente, por exemplo, é repulsiva para a mente oriental. O que é confiável é uma fé inquestionável na capacidade dos envolvidos em uma situação para "ler" o subentendido que precisa ser estabelecido e para responder apropriadamente a ele. Existe um reconhecimento de que as fortunas de uma pessoa dependem de/são, intrinsecamente, ligadas às dos outros.

Objetividade de curto prazo do Ocidente *versus* obliquidade de longo prazo do Oriente

A propensão para o heroico e para o espetacular no Ocidente nasce de uma impaciência epistemológica no que diz respeito à certeza e às questões inequívocas do resultado de uma ação ou intervenção. Ela se agarra a uma noção acoplada de agência e causalidade, e se manifesta em todo tipo de camada social do Ocidente, principalmente nos Estados Unidos. Das campanhas presidenciais repletas de brilho e *glamour* até os dramalhões da televisão, o *glamour* e a adoração aos astros do cinema e aos super-heróis dos esportes, e, no mundo dos negócios, à tendência irresistível de festejar as corporações bem-sucedidas por suas conquistas impressionantes e muitas vezes de curto prazo; todas essas questões são sintomáticas de uma adulação profundamente enraizada para o espetacular e para o dramático no domínio das questões humanas. Conquistas bem-sucedidas são supostamente os afazeres deliberados de indivíduos conscientes e racionais em busca dos melhores resultados no menor espaço de tempo. O que é amplamente descontado é o papel das consequências não antecipadas (MERTON, 1936), tanto no aspecto positivo quanto negativo, que surgem no longo prazo. Existe uma "pressão" social imensa para entregar resultados de forma espetacular, e essa preocupação anula todas as outras preocupações. A atitude natural do Ocidente democrático, nascida desse legado antigo, tem sido de elogiar essa mobilização heroica de recursos e capacidades disponíveis para, de maneira surpreendente, atingir um fim amplamente divulgado. Ainda, como é claramente entendido no Oriente, tal objetividade na abordagem de lidar com as questões humanas carrega consigo desvantagens inevitáveis.

Direcionar formas espetaculares de intervenção geralmente resulta na **destruição** ativa ou na "mutilação" do objeto em questão, o que é bem compreendido no mundo oriental. Como diz um antigo ditado chinês; "onde ele pisa, a grama sob seus pés murcha e morre". Intervir e capturar diretamente em uma situação problemática pode produzir resultados de curto prazo surpreendentes, mas pode também perder a possibilidade de sustentabilidade de longo prazo. No entanto, o que a forma objetiva frontal do engajamento geralmente destrói? Para começar, a ação direta é, por definição, uma ação externa que inevitavelmente interrompe o curso natural das coisas. É inevitavelmente **intrusiva**. Ela "rasga o tecido das coisas e chateia sua coerência... (e) inevitavelmente provoca elementos de resistência, ou, ao menos, de reticência... que... bloqueiam e debilitam essas coisas" (JULLIEN, 2004, p. 54). Além disso, na medida em que ela intervém em um momento e não em outro, a ação direta tende a atrair atenção; ela se torna um **espetáculo** que força a nossa atenção geralmente levando a ressentimento e inveja. Sua superficialidade é mais utilizada para um temporário "banho de pulverização, contra um pano de fundo silencioso das coisas... A tensão que ela produz pode satisfazer perfeitamente a nossa necessidade de dramatizar... mas não é eficaz" (JULLIEN, 2004, p. 55). Em outras palavras, a ação direta, espetacular, heroica e decisiva pode nos prover de drama e empolgação, mas não é necessariamente mais eficaz no longo prazo tanto no que se refere à aprendizagem profunda e/ou à eficácia duradoura.

Em contraste, uma forma de engajamento mais oblíqua e sinuosa, porque ela permanece imperceptível e despercebida, facilmente se harmoniza e se mescla com o *status quo*. É, portanto, percebida como não ameaçadora, mais aceitável e mais capaz de suportar frutos mais duradouros que a abordagem frontal e direta. A eficácia dessa abordagem elíptica em apreender e lidar com as complexidades das situações humanas torna-se mais grandiosa à medida em que é mais discreta e despercebida. Por esse motivo, a mente oriental é instintivamente predisposta à obliquidade, ao sinuoso e ao implícito. Tal escolha pelo engajamento indireto é uma negação das conquistas espetaculares de intenção de curto prazo, em preferência a formas de intervenção mais calmas e sustentáveis a longo prazo, mas isso em detrimento do fato de a agência estar sendo subestimada e não reconhecida em um mundo que bebe do brilho e do *glamour* da vida moderna.

Considerações finais

Modos de organizar e comunicar são essencialmente fenômenos sócio-históricos e culturais. Circunstâncias materiais, históricas e sociais inevitavelmente moldam as predisposições culturais e as formas preferidas de comunicação e ação. Enquanto o legado cultural do Ocidente leva ao privilégio contemporâneo do individualismo, da meritocracia, da objetividade da ação e a uma adulação simultânea do heroico e do espetacular, no Oriente, o relacionismo, a lealdade e o valor da ação oblíqua e despercebida são enfatizados. Tal divergência de prioridades de engajamento dá origem à possibilidade de falhas de comunicação e de intenções errôneas, de forma a contribuir para a complexidade irredutível do nosso mundo contemporâneo globalizado.

Referências

CARTER, R. E. *The nothingness beyond God*. New York: Paragon House, 1990.

CHIANG, Y. *The Chinese Eye*. London: Methuen & Co. Ltd, 1936.

ELSNER, J.; CARDINAL, R. *The Culture of Collecting*. Londres: Reaktion Books, 1994.

GOODY, J. *The Logic of Writing and the Organization of Society*. Cambridge: Cambridge University Press, 1986.

HANSON, V. D. *The Western Way of War*. Londres: Hodder and Stoughton, 1989.

HAVELOCK, E. *The Literate Revolution in Greece and its Cultural Consequences*. Princeton, NJ: Princeton University Press, 1982.

HERRIGEL, E. *Zen in the Art of Archery*. Londres: Arkana, 1953/1985.

JULLIEN, F. *The Propensity of Things*. Nova York: Urzone, Inc., 1995.

__________. *Detour and access*: strategies of meaning in China and Greece. Nova York: Zone Books, 2000.

__________. *A treatise on efficacy*: between Western and Chinese thinking. Honolulu: University of Hawaii Press, 2004.

KENNER, H. *The Mechanical Muse*. Nova York: Oxford University Press, 1987.

McARTHUR, T. *Worlds of Reference*. Cambridge: Cambridge University Press, 1986.

McLUHAN, M. *The Gutenberg Galaxy*. Toronto: University of Toronto, 1967.

MERTON, R. K. The Unanticipated Consequences of Purposive Social Action. *American Sociological Review*, v. 1, n. 6, p. 894-904, 1936.

MILLER, R. K. *The Meritocracy Myth*. US: Roman & Littlefield Pubilsher, 2004.

NISHITANI, K. *Religion and nothingness*. Berkeley: University of California Press, 1982. (Traduzido por VAN BRAGT, J.)

NEEDHAM, J. *Science and Civilisation in China*. Cambridge: Cambridge University Press, 1962. v. 2.

NISHIDA, K. *An Inquiry into the Good*. New Haven, CT: Yale University Press, 1921/1990. (traduzido por ABE M.; IVES C.)

ONG, W. *Orality and Literacy*: the technologizing of the word. Londres/ Nova York: Methuen, 1982.

PARRY, A. A. P. (ed.). *The Making of Homeric Verse*: the collected papers of Milman Parry. Clarendon Press, Oxford, 1987.

TAKEUCHI, Y. Buddhism and existentialism: the dialogue between Oriental and Occidental thought. In: LEIBRECHT, W. (ed.). *Religion and culture*: essays in honor of Paul Tillich. Nova York: Harper, 1959. p. 291–318.

ULMAN, H.; WADE, J. *Shock and Awe*: achieving Rapid Dominance. Nova York: Bibliobazaar, 2007.

VAN BRAGT, J. Translator's introduction. In: NISHITANI, K. *Religion and nothingness*. Berkeley: University of California Press, 1982. (Traduzido por VAN BRAGT J.)

WHITEHEAD, A. N. *Process and Reality*. Cambridge: Cambridge University Press, 1929.

____________________ . *Adventures of Ideas*. Harmondsworth, Middlesex: Penguin, 1933.

____________________ . *Modes of Thought*. Cambridge: Cambridge University Press, 1938.

YOUNG, M. *The Rise of the Meritocracy*. Nova York: Penguin Books, 1958.

JUSOOR, COMUNICAÇÃO E DIÁLOGO: PONTES QUE CONTRIBUEM PARA O DESENVOLVIMENTO SUSTENTÁVEL DE OMÃ

Olinta Cardoso
Danusa Araújo do Nascimento
Fahad Al Adi

Este estudo de caso apresenta a Jusoor, uma organização sem fins lucrativos criada por três empresas –, Vale, Orpic e Sohar Aluminium – em Al Batinah Norte, uma governadoria do Sultanato de Omã, com o objetivo de contribuir, por meio de projetos sociais sustentáveis, para o desenvolvimento da comunidade em que elas atuam, reconhecendo e respeitando seu potencial, seus valores e suas necessidades.

Desenvolvimento sustentável

Inicialmente, deve-se ressaltar que este estudo foi realizado no momento em que nosso planeta comemora uma efeméride: há 25 anos, a Comissão Mundial sobre Meio Ambiente e Desenvolvimento (WCED), criada pela ONU em 1983, concluía o Relatório Brundtland, consubstanciado no documento "*Our Common Future*" (WCED, 1987). Este apresentava uma nova declaração universal sobre desenvolvimento sustentável, qualificado como aquele que "atende às necessidades do presente sem comprometer a possibilidade de as gerações futuras atenderem às suas próprias necessidades". Tal definição se tornou emblemática para as reflexões e ações relacionadas com esse tema de crucial importância, que abarca desde a formulação de políticas e leis pelos poderes constituídos até a geração de novos conhecimentos, a mobilização da sociedade civil e a adoção de posturas mais conscientes pelas organizações em geral.

Segundo o sociólogo Zygmunt Bauman (2011), o que hoje acontece em um país tem uma enorme influência na vida de outros, sendo esta a primeira vez na História em que o globo é realmente um único e mesmo país. Ricardo Young (2012), ex-presidente do Instituto Ethos de Empresas e Responsabilidade Social, afirma que a sustentabilidade implica "profundo entendimento das mudanças que estão emergindo no mercado, na tecnologia, nos valores e no sentido do desenvolvimento". Para ele, não se discute mais se o desenvolvimento sustentável é o caminho, mas ainda pairam no ar muitas interrogações sobre como trilhá-lo. Somente com a integração entre governos, empresas e movimentos sociais se encontrarão respostas para elas. "A colaboração intersetorial, pluridimensional e sistêmica está no coração da gestão para a sustentabilidade."

Enfim, hoje não há mais dúvidas de que a sustentabilidade é o novo paradigma da sociedade mundial. O que ainda falta é maior integração de objetivos e avanço na pesquisa de soluções comuns para interesses diversificados (MATIZES, 2012a). Não obstante, já são relevantes as reflexões e as iniciativas, em âmbito nacional e internacional, como se depreende da literatura corrente e dos artigos que preenchem as páginas da internet (KUNSCH, 2009).

Sustentabilidade empresarial

No que se refere especificamente às empresas, dez anos depois do Relatório Brundtland, o britânico John Elkington lançava a obra *Cannibals with Forks* (ELKINGTON, 1997). Nela, o autor defende que o desenvolvimento empresarial sustentável deve estribar-se, necessariamente, em três eixos interligados (o *triple bottom line*, termo cunhado por ele em 1994), a saber: o econômico, o social e o ambiental.

Acrescentemos aqui o que o autor disse em palestra no Expo Management 2010, evento anual da entidade brasileira HSM Management: "Empresas precisam montar planos de ação e trabalhar *com outras empresas*, com os setores públicos e com a sociedade civil" (ELKINGTON, apud MELLO, 2010 – grifo nosso). Em outras palavras, de acordo com a empresa Matizes (2012a, p. 28), "é essencial entender como a atividade econômica afeta os que são envolvidos por ela e adotar uma postura e uma atitude socialmente responsáveis". Vale argumentar que os relacionamentos e as interações sociais desenvolvidos pelas organizações "contribuem para atingir seus objetivos e também para o desenvolvimento das regiões nas quais elas estão inseridas" (ibid).

O território como espaço instituidor de sentidos

O livro *A comunicação na gestão da sustentabilidade das organizações* (KUNCH; OLIVEIRA, 2009) traz um capítulo intitulado "Desafios comunicacionais para a atuação sustentável das organizações". Nele, Olinta Cardoso (2009), sócia-diretora da empresa Matizes Comunicação, de São Paulo, aborda a dimensão relacional como um vetor convergente dos esforços do *triple bottom line*, explorando a ideia do diálogo na perspectiva dos territórios.

No mundo pluralístico e interdependente de hoje, vivemos tempos desafiadores para as organizações e lideranças, sendo mais do que nunca necessário definir objetivos, ouvir as diferentes vozes, ser arquitetos de sistemas complexos e construir relações de confiança com os públicos. Dar conta desses desafios implica conhecer em profundidade os contextos de atuação das empresas, trazendo a perspectiva de um território vivo e instituidor de sentidos, visto não apenas como "plataforma de operação", mas como região (meio ambiente e construção social).

É a partir dessa realidade que a Vale, empresa brasileira global, tem estabelecido padrões de atuação e de diálogo com a sociedade baseados em ações planejadas, integradas e proativas, internamente, e indutoras do desenvolvimento e agregadoras de parceiros, externamente. Com sua arrojada visão de "ser a empresa de recursos naturais global número um em criação de valor de longo prazo, com excelência, paixão pelas pessoas e pelo planeta", ela vem consolidando um posicionamento de marca, que, explicitamente integrado com a sustentabilidade, traduz-se em atributos como: integração com a comunidade, busca permanente, confiança, respeito à diversidade cultural e disciplina focada.

Atuando em um ambiente global marcado por incertezas e complexidades jamais vistas, a Vale tem procurado construir relacionamentos e vínculos com seus *stakeholders* fundamentados em uma abordagem inclusiva, que busca conhecer profundamente as realidades dos territórios em que está inserida. Trata-se de trazer a perspectiva do território não apenas para a gestão de seus investimentos sociais, mas também para o processo de diálogo social. Nesse sentido, a empresa desenvolve diagnósticos socioeconômicos das regiões nas quais opera. Com base neles e em suas estratégias, ela define diretrizes regionais de investimento social e de interação com os *stakeholders*. Ao mesmo tempo, essa abertura demanda novos parâmetros para a comunicação, que, no processo de interlocução, considera as lógicas específicas das diferentes regiões, todas marcadas por dinâmicas relacionais com ritmos, histórias e experiências de vida próprios. Isso também exige a realização de leituras aprofundadas dos contextos, para entender a complexidade de cada realidade e as expectativas dos *stakeholders*.

Essa visão dinâmica de um território instituidor de sentidos nortearia também o diagnóstico sobre a realidade da governadoria de Al Batinah Norte, em Omã, onde a Vale chegou em meados de 2007, com seu projeto de uma planta de pelotização, um porto e um centro de distribuição. Esse diagnóstico, realizado pela Matizes, enriquecido posteriormente em alguns pontos, está na base do acordo de cooperação firmado, em 2011, entre a Vale, a Orpic, e a Sohar Aluminium, o qual daria origem a uma agenda comum de responsabilidade social corporativa, presente na instituição social então constituída, a Jusoor.

Sultanato de Omã

"Oásis de paz, um pedaço fascinante da Arábia, moldado pelo vento, pelo sol e pelo tempo, lugar mágico, onde tudo é belo." Assim a jornalista Glória Maria (2012) caracterizou o Sultanato de Omã, no extremo leste da Península Arábica, sobre o qual aqui apresentamos uma síntese.

Diagnóstico socioeconômico integrado de Al Batinah Norte

Com 309,5 mil quilômetros quadrados, o Sultanado de Omã é constituído por um vasto e plano deserto na região central, e uma cadeia de montanhas gigantescas que se estende do centro-leste ao norte, na qual se encontra o ponto mais elevado do país, o Jabal Shams, com 3 mil metros de altitude. Desde 28 de outubro de 2011, Omã divide-se em 11 governadorias (*muhafazats*), que se subdividem em províncias (*wilayats*). Entre as governadorias, está a de Al Batinah Norte, que, com seis *wilayats*, ocupa uma importante localização na costa do Golfo de Omã, sendo a cidade de Sohar seu centro mais importante. Apesar da dimensão geográfica relativamente expressiva do país, sua população é de apenas 2,7 milhões de pessoas, que se distribuem maciçamente nas cidades litorâneas, principalmente na capital, Mascate, com cerca de 780 mil habitantes (MATIZES, 2011b).

A história de Omã teve início há milhares de anos, com os beduínos. Os primeiros europeus a chegar ali foram os portugueses, dos quais o país se tornou independente em 1650. O país é regido por um governo centralizado, muito ativo, que busca antecipar-se às demandas sociais básicas. Além disso, tem uma tradição de instituições fortes, em especial a família ampliada, a herança cultural e a religião, que atuam como redes de proteção social e como canais de interlocução com o poder. O chefe de Estado e também de Governo é o sultão, que exerce as funções de monarca e primeiro-ministro. O atual sultão, Qaboos bin Said Al Said, no poder desde 1970, é da dinastia Al Said, que governa o país há mais de 250 anos (PETERSON, 2001).

Se antes a economia de Omã se reduzia à agropecuária (bananas, alfafa, legumes, camelos, bovinos), à pesca e ao artesanato tradicional, nos últimos anos ela tem apresentado grande desenvolvimento, graças à exploração de seus recursos naturais (principalmente o petróleo, além de produtos como gás natural, alumínio, cobre, amianto, mármore, calcário, cromo e gesso). Pelas águas tranquilas do estreito de Ormuz passam "60% de todo o petróleo produzido pelos países do Golfo [Pérsico]. Por isso, é uma região importantíssima, estratégica, para o comércio de todo o petróleo mundial" (MARIA, 2012).

Com a atração de investimentos externos e a diversificação da economia, o governo, segundo o mencionado diagnóstico socioeconômico (MATIZES, 2011a), promove, desde 1995, uma ampla reforma da educação, com o objetivo de capacitar a mão de obra e criar novos empregos para a população autóctone, preparando o país para o novo ciclo de modernização. A ênfase na educação para o trabalho e o conceito de aprendizado pela experiência favorecem a cooperação entre as empresas e o sistema educacional omaniano.

Dois dos pilares do plano "Visão 2020"[1], produzido em 1996, são: a omanização da mão de obra e o desenvolvimento de recursos humanos.

---

[1] Planejamento estratégico de Sultanato.

Adotam-se políticas ativas de "empoderamento" (*empowerment*) das mulheres na vida do país e no mercado de trabalho, como direito a voto, a partir de 2003, e participação nos diversos escalões, compondo elas o maior número dos egressos das universidades. A alfabetização é superior a 80%. O estado tem promovido, desde o início daquela década, políticas públicas efetivas com vistas à melhoria de indicadores de saúde, à difusão da educação formal e ao desenvolvimento do sistema de seguridade social. O oitavo plano quinquenal prevê que o investimento médio em saúde, de 2011 a 2015, aumente 88% em relação ao período de 2006 a 2010, e o investimento médio em educação, 56% (MATIZES, 2011a). Omã é o país em que o Índice de Desenvolvimento Humano (IDH) teve o maior progresso relativo desde os anos 1970, situando-se, em 2011, no 89º lugar na tabela produzida pelo Programa das Nações Unidas para o Desenvolvimento (PNUD, 2011).

Foco no território

O diagnóstico socioeconômico integrado de Al Batinah Norte, realizado entre 2010 e 2011, representou um passo importante para a formulação de uma agenda de responsabilidade social que, voltando o foco para os desafios do território e apontando as diretrizes para seu enfrentamento, estruturasse as iniciativas sociais e o diálogo da Vale naquela região, com o objetivo de construir relacionamentos sólidos e duradouros com as comunidades vizinhas. Tratava-se, basicamente, de fazer aquela leitura de que falamos no tópico anterior "O território como espaço instituidor de sentidos", analisando de forma integrada os diferentes setores de uma realidade territorial bastante complexa. Apresentado no relatório "Socioeconomic integrated diagnosis of the Al Batinah North Region of the Sultanate of Oman: thematic synthesis and integrated analysis" (MATIZES, 2011a), o diagnóstico possibilitou extrair e agrupar temas transversais que estruturariam as diretrizes de gestão integrada de questões socioeconômicas da região norte de Al Batinah.

Um dos principais resultados foi a identificação de um cenário no qual se agruparam sete desafios, cuja análise aprofundada, pela equipe envolvida, seria essencial para a definição das estratégias de diálogo e de investimento social da Vale. São estes os desafios:

1. *Dicotomia entre o moderno e o tradicional* – combinar elementos de tradição com diversificação econômica e desenvolvimento, em um contexto de modernização.

2. *Oportunidades de trabalho* – implementar a capacidade produtiva local, gerar empregos e favorecer a formação da mão de obra omaniana.

3. *Desenvolvimento de fornecedores locais* –estimular a diversificação da economia, intensificando o ritmo de omanização.

4. *Geração de oportunidades de trabalho para as mulheres* – inserir a mulher no mercado de trabalho, em todos os níveis – do operacional ao executivo –, apoiando o desenvolvimento de competências específicas e seu empoderamento na sociedade.

5. *Gerenciamento de impactos* – administrar os impactos sociais e ambientais das operações, em uma realidade em que as externalidades se tornam indivisíveis.

6. *Disponibilização de serviços de saúde* – proporcionar serviços de saúde nas unidades implantadas e assegurar treinamento e capacitação da mão de obra, tanto para atender as comunidades como para dar suporte a novos moradores que chegaram em decorrência dos investimentos.

7. *Acidentes de trânsito* – diminuir seus índices de ocorrência, minimizando os riscos diretos nas operações das empresas.

Considerando tudo isso, definiram-se quatro linhas de atuação social – empreendedorismo, educação para o trabalho, saúde e meio ambiente, cultura e esporte –, com diretrizes claras para elaboração de projetos que pudessem oferecer soluções para esses desafios.

Foram identificados também, no mesmo diagnóstico, os principais desafios para o estabelecimento da comunicação e do diálogo da Vale nesse território, considerando sua chegada, como empresa estrangeira, em um contexto marcado por uma riqueza cultural singular. Entretanto, antes de estruturar sua agenda de investimentos em projetos sociais e de relacionamento com a comunidade, a empresa fez doze apresentações do diagnóstico – sete das quais para os ministros de Omã e suas equipes, e cinco para as empresas e os públicos estratégicos. Esse compartilhamento de informações serviu de suporte para a criação e a implantação da Jusoor, em um esforço conjunto das três principais empresas do porto industrial de Sohar de, pelo fato de estarem em um mesmo território, buscarem convergência em seus investimentos sociais. A principal conclusão do diagnóstico, complementado com a aplicação de observações vindas da Orpic e da Sohar Aluminium, foi a necessidade de buscar uma intervenção local que integrasse soluções nas perspectivas social e comunicacional. Todos os esforços deveriam levar em conta a abordagem por meio do contexto, dos públicos e das mensagens.

Capitalizando a sinergia de um cluster industrial

Nas últimas décadas, Omã tem sido distinguido com investimentos vultosos do governo para viabilizar e incrementar o crescimento do país, sendo o porto industrial de Sohar um ícone desse movimento. A abertura da economia ocorreu no cenário de uma dinâmica demográfica que se caracterizava pela predominância de uma população omaniana jovem (60% na faixa etária entre 15 e 65 anos) e por um contingente expressivo de mão de obra expatriada, atraída pelo desenvolvimento instaurado (MATIZES, 2011b; 2012a). Os esforços governamentais se concentraram em duas grandes estratégias: (I) diversificação da base produtiva do país, com vistas à redução de sua dependência do petróleo; e (II) aumento do número de omanianas na força de trabalho.

Indivisibilidade de externalidades

As intervenções encaminhadas atribuíram um papel marcante a Al Batinah, desde 2011 dividido em duas governadorias (Al Batinah Norte e Al Batinah Sul), direcionando-se para eles 65% dos investimentos do sultanato em megaprojetos no período de 2005 a 2010 (MATIZES, 2012a). Sohar, estrategicamente situada junto ao estreito de Ormuz, sobressai como um importante polo de influência para as demais *wilayats*. A infraestrutura que nela se monta é um fator de sinergia para toda a região. Do ponto de vista territorial, o ritmo de desenvolvimento ali instalado propicia novas alternativas às tradicionais atividades agrária, pesqueira e comercial das comunidades, à geração de novos negócios e empregos, à diversidade cultural, à coexistência do tradicional e do moderno no que se refere à vida, e aos sistemas urbano, econômico e social. E, da perspectiva das organizações, pelo fato de se encontrarem em um *cluster*, elas acabam assumindo conscientemente sua corresponsabilidade pelos impactos causados ao território – a "indivisibilidade de externalidades", aspecto explorado pelo diagnóstico socioeconômico da Vale.

Em suma, as novas dinâmicas que orientam a reorganização do território e impactam socioeconomicamente as comunidades locais evidenciam a necessidade urgente de as organizações investirem tanto em projetos que contribuam para o acesso da população aos benefícios da modernidade, sem abandonar seus valores tradicionais, quanto na busca de uma abordagem correta na construção de relacionamentos próximos, contínuos e duradouros com as comunidades e os demais públicos.

Foi nesse contexto que a Vale, a Orpic, e a Sohar Aluminiumse uniram para conceber e dar à luz a Jusoor, em um momento em que essas empresas já estavam mais do que conscientes do pensamento de Péricles, influente estrategista grego do século 5 a.C., gravado como *leitmotiv* no trabalho que viria a ser desenvolvido nesse sentido pela Matizes (2012a/b): "O que você deixa para trás não é o que é gravado em monumentos de pedra, mas o que é tecido nas vidas de outros."

Caminho da constituição da Jusoor

No curto espaço disponível para apresentar um *case* de tamanho alcance, mostramos aqui quais foram os principais passos dados para a constituição dessa primeira organização social tripartida de Omã (MATIZES, 2012a). De um lado, a Vale realizava seu diagnóstico, descrevendo o cenário e suas tendências, buscando entender sua linguagem, seus valores e sua cultura, detectando oportunidades e riscos, ao mesmo tempo em que trabalhava para consolidar seu relacionamento institucional com os *stakeholders*. Com clareza das reais demandas do território estudado, foram elaboradas as diretrizes de investimento social e de diálogo com seus públicos.

Enquanto isso, dentro da perspectiva de integrar as sinergias das empresas inseridas em um mesmo território, ela identificava a oportunidade de cooperação de outros parceiros no caminho da criação de uma instituição social, objetivando a promoção do desenvolvimento local por meio da junção de esforços, recursos e conhecimento. Assim, em maio de 2011, a Vale, a Orpic, e a Sohar Aluminium assinaram um memorando de entendimento, com o objetivo de estreitar e fortalecer seu compromisso com um desenvolvimento territorial sustentável.

Tratava-se de uma realidade complexa, que levou a empresa Matizes a fazer um levantamento de dados para melhor entendimento do *background* e de aspectos comuns às três empresas, no que se refere a responsabilidade social e de relacionamento com as comunidades. Elas forneceram informações gerais sobre suas operações, seus procedimentos, seus níveis de articulação com as comunidades e seus respectivos responsáveis pela responsabilidade social corporativa. O resultado seria uma complementação do diagnóstico da Vale, acompanhado de propostas de diretrizes gerais e específicas para superar fragilidades e riscos nele identificados.

As primeiras iniciativas foram buscar os orientadores estratégicos para o desenvolvimento da instituição, além de integrar e alinhar o conceito de responsabilidade social, objetivando um consenso mínimo entre empresas de diferentes setores, visões e propósitos. Com base na realidade conhecida por meio do diagnóstico, alguns questionamentos fundamentais, como os a seguir, foram propostos para os CEOs. Como podemos fazer a diferença? Como podemos iniciar um diálogo social e construir relações com as comunidades? Como podemos fortalecer e alavancar o compromisso com o desenvolvimento sustentável territorial, por meio da promoção e implementação de estratégias comuns?

Em 31 de dezembro de 2011, foi assinado um acordo de cooperação pelo qual as três empresas assumiriam a criação de uma entidade legal a ser estabelecida para estruturar uma plataforma de construção e desenvolvimento de um **portfólio** de projetos sociais: a Jusoor – que teria a Orpic, a Sohar Aluminium e a Vale como empresas fundadoras. A importância desse ato pôde ser percebida pela presença de autoridades como o xeque Saad bin Mohamed Al Mardhouf Al Saadi, ex-ministro do Comércio e da Indústria; Mohamed bin Said Al Kabani, ministro do Desenvolvimento Social; Mahana bin Saif Salem Al Lamki, governador de Al Batinah Norte; Nasser bin Khamis Al Jashmi, subsecretário do ministério do Óleo e do Gás e presidente da Oman Oil Company; além de outras autoridades e de líderes comunitários.

Jusoor em campo

Até aqui, apresentamos alguns aspectos essenciais do desafio lançado para a Matizes em 2011, de construir as bases da primeira instituição social tripartida no Sultanato de Omã. A caminhada foi intensa, dada a necessidade de o aprendizado ser vivenciado na experiência, tendo o grande diferencial sido o apoio dado pelas empresas investidoras. A Jusoor foi concebida para ser inovadora e administrada de forma profissional na promoção do desenvolvimento sustentável de Al Batinah Norte, interagindo com a cultura e a mentalidade local, bem como propiciando novos aportes para a responsabilidade social corporativa e contribuindo efetivamente para a imagem e reputação das empresas investidoras. O essencial, nessa iniciativa, foi evidenciar não apenas o valor da Jusoor para as três empresas, mas também o papel da equipe local, que chegava para viabilizar a construção de um projeto social, sempre com vistas a contribuir, de forma integrada, para um território em transformação. O relatório final da Matizes (2012a/b) é, nesse sentido, uma referência para a equipe da Jusoor, na efetivação do que ela acumulou em preparação e capacitação.

Estratégia

O planejamento estratégico definido para a Jusoor visa garantir maior eficiência do capital investido pelas empresas, por meio de uma concepção integrada dos ativos e da busca de parceiros multidisciplinares. O modelo adotado foi o *balanced scorecard* (BSC), que, permitindo integrar a missão à visão, traduz-se em objetivos e medidas que reflitam os interesses e as expectativas dos principais *stakeholders*. O estabelecimento de medidas e vetores de desempenho tem como base quatro perspectivas: dos resultados; do cliente; dos processos operacionais internos; e do aprendizado e crescimento.

No planejamento, acompanhado e aprovado pelos CEOs, primeiro se delineou sua identidade organizacional, considerando as contribuições das três empresas investidoras A **missão** da Jusoor se expressa, então, nos seguintes termos: "promover iniciativas que levem ao desenvolvimento socioeconômico sustentável e transparente nas comunidades onde operamos". Sua **visão** de futuro, tendo como horizonte o ano de 2016, é: "gerar valor para Omã, especialmente para as comunidades onde operamos, por meio do desenvolvimento socioeconômico sustentável e transparente, contribuindo para agregar valor à reputação de nossos investidores sociais". Como **valores** que embasam as atividades, crenças e convicções da organização se definiram: a transparência, o comprometimento, a parceria, a corresponsabilidade (*accountability*) e a atuação da equipe como agente de mudança (*change-making*).

Em seguida, construiu-se um mapa estratégico com horizontes de prazos curto (2012-2013), médio (2014-2015) e longo (de 2016 em diante) para o alcance dos resultados que são esperados – construir a imagem e a reputação da organização, propiciar o reconhecimento das empresas e agregar valor social para as comunidades impactadas (MATIZES, 2012b).

E se criou adicionalmente um diagrama estrutural do projeto, alinhando: as atribuições da organização; as áreas focais dos investimentos sociais; patrocínios e doações; e monitoramento, avaliação e controle do projeto.

Modelo de governança

Com o objetivo de garantir transparência e *accountability*, além de legitimar as ações que estão sendo implementadas, dois níveis de tomada de decisão foram estabelecidos, a saber: o fórum de CEOs das empresas fundadores e o conselho da fundação. Este último, presidido pelo governador de Al Batinah Norte, é composto pelos *walis*, três membros do conselho da Shura e dois representantes comunitários, todos das *wilayats* de Liwa e Sohar, além dos CEOs, da Vale, da Orpic, e da Sohar Aluminium.

A Jusoor conta com um CEO, um gerente executivo, três lideres de projetos e um gestor do Project Management Office (PMO). Nessa estrutura organizacional, os papéis e as responsabilidades de cada função foram estabelecidos e detalhados, garantindo a clareza de suas atribuições.

Estrutura de investimento social

A estrutura de investimento social que norteia as ações configuradas pela Jusoor foi definida com base nos princípios, nos objetivos, nos instrumentos e nas diretrizes para seu desenvolvimento e sua gestão, sendo a comunicação uma função estratégica, que, com intencionalidade, suporta as ações e iniciativas sociais, atuando nas perspectivas informacional e relacional. Ressalte-se mais uma vez que a Jusoor tem como missão contribuir para um desenvolvimento sustentável da comunidade, reconhecendo e respeitando suas potencialidades, seus valores e suas necessidades. As ações de investimento social de curto, médio e longo prazos são esboçadas e construídas em conjunto com o governo, organizações da sociedade civil, parceiros etc., com base em uma visão compartilhada. Essa abordagem diferenciada que a fundação adota a torna um modelo no que diz respeito ao desenvolvimento de relações e parcerias entre setores públicos e privados, bem como à mobilização de recursos locais.

Políticas e diretrizes de investimento social relativas ao subsídio de projetos sociais, patrocínios e doações foram estabelecidas, considerando os projetos estruturantes, com ações articuladas e integradas de médio e longo prazos, assim como patrocínios e doações voltados para ações de curto e médio prazos. Para a etapa de desenvolvimento das ações sociais, processos foram criados para auxiliar no que se refere a seleção, avaliação, priorização, planejamento e implantação dos projetos e das iniciativas. Ainda, considerando a participação das comunidades nos projetos sociais, a Jusoor tem um processo aberto à sociedade para submissão de propostas, disponibilizando diretrizes e padrões de procedimentos e formulários para os proponentes. O PMO foi o subsistema de gestão definido e implantado para gerenciar os projetos sociais, objetivando a produção de resultados sustentáveis. A comunicação, por sua vez, tem atribuições definidas em todas as fases do projeto, com uma atuação transversal, de modo a garantir intencionalidade aos processos, assim como torná-los inclusivos e participativos.

Modelo de gestão da comunicação

Este estudo concentrou-se no processo de estruturação da Jusoor, que têm como protagonistas as empresas Vale, Orpic e Sohar Aluminium, além de um grupo de profissionais cuja performance está voltada ao desenvolvimento sustentável de Al Batinah Norte, bem como à atuação transversal da comunicação, operando estrategicamente na constituição dessa organização. A implantação do plano estratégico implica um posicionamento forte, claro e consistente da Jusoor, com o objetivo de construir sua imagem e reputação, bem como de reforçar uma percepção positiva das empresas fundadoras. A sustentação dos objetivos e a superação dos desafios em um projeto de tamanha dimensão apenas foram possíveis graças a uma abordagem estratégica da comunicação, buscando-se criar sentido para as pequenas e grandes ações, no passo a passo, na convergência de esforços e no alinhamento de expectativas.

Antes de explorar o modelo de gestão desenvolvido pela equipe da Jusoor com o apoio da Matizes (2011c), é importante chamar a atenção para as palavras de Robert Chia (2013, p. 181) em seu artigo "Culturas de organizar e comunicar: implicações para o entendimento de ações e intervenções estratégicas". Segundo ele, "Modos de organizar e comunicar são fenômenos essencialmente sócio-históricos e culturais; características indeléveis de processos civilizadores específicos". Ressalta ainda o autor: "Como nos comunicamos e coletivamente organizamos nossos esforços com o intuito de garantir a sobrevivência, o progresso e a sustentabilidade são elementos profundamente influenciados por circunstâncias materiais, históricas e culturais nas quais nos encontramos e sabemos que não é algo desenvolvido individualmente".

Isso foi considerado no formato que buscamos para a comunicação da Jusoor. A abordagem metodológica começa com uma nova análise do contexto local, sob a perspectiva da comunicação, das informações do diagnóstico socioeconômico integrado, da compreensão da responsabilidade social corporativa pelas empresas fundadoras e pela Jusoor, da descrição da estrutura da própria fundação e da percepção que sua equipe tem dos desafios de comunicação. Além disso, levou-se em conta também a cobertura da mídia omaniana a questões relacionadas com a responsabilidade social e com o relacionamento entre empresa e comunidade. Com base nessas informações e redefinido o contexto local, foi realizado um estudo preliminar dos *stakeholders* e de temas de interesse, além de se fazer a análise SWOT[2] da Jusoor do ponto de vista da comunicação.

O modelo de comunicação concebido constitui-se em uma metodologia global de gestão da comunicação, capaz de integrar estratégias e meios na articulação de um processo transparente, ágil e com os esforços concentrados no propósito de fazer com que a Jusoor seja sempre a primeira fonte a levar aos *stakeholders* todas as informações relativas à instituição e a seus projetos sociais, buscando manter os empregados das empresas investidoras informados em primeira mão sobre os seus projetos. Outros elementos básicos do modelo foram a implantação de um sistema de monitoramento permanente dos resultados alcançados e a definição clara das atribuições dos agentes envolvidos nos processos de comunicação.

O modelo de gestão da comunicação da Jusoor buscou nortear-se por seus valores e objetivos, bem como alinhar-se à sua estratégia geral, adaptando-se permanentemente às exigências de cenários, tendo como premissa as diretrizes da marca Jusoor, integrando as perspectivas informacional e relacional da comunicação. A meta de imagem e reputação estabelecida pela Jusoor baliza o trabalho de comunicação. Isso resultou na definição de horizontes comunicacionais consoantes com os horizontes estratégicos da Jusoor, na matriz de *stakeholders* prioritários, no posicionamento e nas mensagens-chave da entidade, além da definição de papéis e responsabilidades dos interlocutores, bem como na preparação e capacitação de toda a equipe da Jusoor em comunicação e diálogo social.

---

[2] SWOT é uma ferramenta de gestão. Trata-se de um acrônimo em inglês das palavras *strenghts*, *weaknesses*, *opportunities* e *threats* que significam respectivamente: forças, fraquezas, oportunidades e ameaças

Formação e consolidação da equipe

Para implantar e pôr em prática tudo o que expusemos, foi imprescindível contar com uma equipe comprometida, disposta ao aprendizado multidisciplinar, no que se refere a planejar, gerir e controlar todas as dimensões relacionadas com a implantação de um programa de responsabilidade social e de diálogo social. O objetivo é sempre buscar o entendimento do contexto dos territórios de intervenção, respeitando as diferenças e procurando estar disposto a ouvir, em um momento de significativas mudanças pelo qual passa todo o Oriente Médio. Nesse sentido, a Matizes apoiou todo o processo de seleção da equipe da Jusoor e estabeleceu um plano de desenvolvimento e capacitação, treinando e consolidando as capacidades dentro do quadro de profissionais (Matizes, 2012b, p. 168).

Foram adotados módulos – de caráter conceitual e aplicativo – para sensibilizar e capacitar a equipe, de maneira a disseminar conceitos de metodologias e ferramentas para o estabelecimento de esforços conjuntos entre as três empresas. Com o módulo **conceitual**, buscou-se fortalecer um espaço interno para a discussão e o compartilhamento de conceitos teóricos para a formação da equipe, de acordo com o que preconiza Ivone de Lourdes Oliveira, da Pontifícia Universidade Católica de Minas Gerais (PUC Minas): "a teoria deve iluminar a prática". Os principais temas trabalhados foram: desenvolvimento sustentável, diagnóstico socioeconômico, planejamento estratégico, normas e referências de sustentabilidade e de gestão para resultados. No módulo **aplicativo**, trabalharam-se temas como: desenvolvimento de projetos sociais, abordando questões-chave de seu *brainstorming* e de sua estruturação; comunicação social; e diálogo social. O resultado mais compensador foi o aprendizado mútuo que esse processo proporcionou à equipe e aos consultores, ao longo de todo um ano de profícuo treinamento, realizado também *on the job*, o que fez com que as orientações e as práticas tivessem como base a dinâmica do território e a vivência do grupo.

Empresas fundadoras

A Orpic (Oman Oil Refineries and Petroleum Industries Company) foi criada com a integração de três empresas – Oman Refineries and Petrochemicals Company LLC (ORPC); Aromatics Omn LLC (AOL); e Oman Polypropylene. É uma das maiores empresas de Omã e uma das que mais crescem no complexo petrolífero do Oriente Médio. Suas refinarias em Sohar e Mascate, assim como suas fábricas de produtos aromáticas e polipropileno em Sohar, fornecem combustíveis, produtos químicos e matérias-primas para o país e para o mundo. Para a empresa, é importante incrementar sua atuação social, com foco na responsabilidade social, em linha com o desenvolvimento de planos de desenvolvimento social (JUSOOR, 2013a; MATIZES, 2012a, p. 39).

A Sohar Aluminium foi criada em 2004, como resultado de uma aliança entre a Oman Oil Company, a Abu Dhabi National Energy Company Pisc-Taqa e a Rio Tinto Alcan. Como em outros países da região, cujas economias são dependentes do petróleo, a criação de uma unidade de alumínio em Omã foi interpretada como a porta de entrada para uma indústria a jusante, o aumento do nível de empregos e a agregação de valor por seus métodos de processamento. A empresa já teve reconhecimento mundial por sua tecnologia superior, ecologicamente amigável e energeticamente eficiente. Seu projeto garante a eficiência, a proteção ambiental e a segurança máxima de sua força de trabalho. Ela investe em iniciativas nos campos do emprego indireto, do treinamento de mão de obra, da subsistência e da capacitação de lideranças, incluindo o empoderamento das mulheres (JUSOOR, 2013a; MATIZES, 2012a, p. 39).

Com sede no Brasil e presente em 37 países, a Vale é uma empresa global, que tem como missão transformar recursos minerais em prosperidade e desenvolvimento sustentável. Líder na produção de minério de ferro e segunda maior produtora de níquel do mundo, ela conta com escritórios, operações, explorações e *joint ventures* espalhados pelos cinco continentes. A empresa também beneficia cobre, carvão, manganês, ferroligas, fertilizantes, cobalto e metais do grupo da platina, que são importantes para o setor industrial global e estão presentes na vida diária das pessoas. Além disso, atua nos setores de logística, siderurgia, energia e fertilizantes.

A Vale estabeleceu seu escritório dirigido ao Oriente Médio, em Omã, em dezembro de 2007, com o objetivo de expandir sua presença nos principais mercados regionais. Em março de 2009, ela iniciou os trabalhos no complexo industrial de Sohar, por meio de uma usina de pelotização, com capacidade de processar 9 milhões de toneladas por ano, um porto e um centro de distribuição equipado para movimentar 40 milhões de toneladas métricas por ano. O investimento final no projeto, inaugurado em março de 2012, chegou a US$ 1,25 bilhão.

A identidade visual da Jusoor diz tudo

A definição do nome Jusoor e a criação do logotipo da organização (Figura EC 1) representaram um marco importante no contexto do registro das ações de sua constituição e evidenciaram o amadurecimento da equipe da Jusoor, a responsável por definir a essência dessa organização e expressá-la corretamente. A marca representa a fonte maior de reforço dos objetivos da organização, refletindo sua responsabilidade social e inspirando sua comunicação. O nome Jusoor significa "ponte". O ícone do logotipo, que interpreta a visão e o posicionamento da entidade, é assim descrito: "Os elementos humanos interligados traduzem o esforço combinado das diferentes corporações, bem como a interação entre nós e nossos *stakeholders*, na direção de um desenvolvimento sustentável. O logo forma o símbolo do infinito, expressando o compromisso sem fim da Jusoor com a comunidade" (JUSOOR, 2013b; MATIZES, 2012a, p. 80-81).

Figura EC 1 – Logotipo da Jusoor

Fonte: Jussor (2013b).

Considerações finais

O trabalho relacionado com a constituição da Jusoor teve impactos significativos na interpretação de conceitos que fundamentam nossa prática. A Matizes é uma empresa jovem, integrada por profissionais multidisciplinares com longa experiência em comunicação e responsabilidade social. Atuamos em Omã com uma equipe local singular, formada pelos jovens profissionais da Jusoor, com uma visão clara de seu papel como agentes de mudanças.

A abordagem que buscamos para esse trabalho foi fundamentada em nossa experiência, nas perspectivas informacional e relacional da comunicação e na responsabilidade social corporativa, entendida como a gestão que se define pela relação ética e transparente das empresas com seus públicos, segundo o "conceito Ethos" (ETHOS, 2013).

O mais importante, todavia, é que nossa atuação em Omã teve início com a compreensão e o entendimento das empresas clientes, de suas formas de trabalhar, de seus objetivos e seus desafios, assim como do território em que estão inseridas, o território vivo, instituidor de sentido. Expondo a realidade da relação existente entre o território e as empresas, tornou-se mais simples compreender como lugares parecidos são capazes de produzir contextos ou eventos tão diferentes. Pois, por trás da aparente semelhança, entendemos as dinâmicas peculiares na relação território/tempo/empresas.

Nada mais apropriado que finalizarmos este estudo com o registro parcial de depoimentos dos presidentes das empresas que constituem a Jusoor, para referendar o alcance e a significação dessa organização (JUSOOR, 2013).

> Temos como estratégia trabalhar de forma integrada com o governo, o setor privado e a comunidade para atingir o ideal da sustentabilidade. Nosso objetivo é aprimorar a qualidade de vida na região em que atuamos, identificando oportunidades, utilizando da melhor forma os recursos e buscando soluções inovadoras. Nossa experiência de muitos anos na promoção de tais iniciativas é a garantia de que podemos contribuir com ideias valiosas e adotar as melhores práticas para o avanço da sociedade.
>
> **Marcos Beluco**
> *Country Manager da Vale em Omã.*

> A Jusoor veio acrescentar um valor substancial à responsabilidade social corporativa de nossas empresas. Ela unifica nossa visão nesse campo, propicia o compartilhamento de conhecimentos e recursos, e, sobretudo, representa uma plataforma coerente para o engajamento comunitário e o diálogo social.
>
> **Henk Pauw**
> *CEO da Sohar Aluminium.*

> A Jusoor representa o início de um novo engajamento com as nossas comunidades. Estamos ansiosos para vê-la construindo pontes e promovendo um entendimento comum e a consolidação de uma parceria sustentável. Espero que consigamos fazer dela um modelo omaniano realmente bem-sucedido de responsabilidade social corporativa.
>
> **Musab Al Mahrooqi**
> *CEO da Orpic.*

Referências

BAUMAN, Z. *Depoimento à equipe CPFL Energia e Fronteiras do Pensamento*. Entrevista em 23 de julho de 2011. Vídeo disponível em: <www.vimeo.com/27702137>. Acesso em: 16 out. 2013.

CARDOSO, O. Desafios comunicacionais para a atuação sustentável das organizações. In: KUNSCH, M. M. K.; OLIVEIRA, I. L. (orgs.). *A comunicação na gestão da sustentabilidade das organizações*. São Caetano do Sul, SP: Difusão Editora, 2009. p. 249-254.

CHIA, R. Culturas de organizar e comunicar: implicações para o entendimento de ações e intervenções estratégicas. In: MARCHIORI, M. *Perspectivas metateóricas da cultura e da comunicação*. São Caetano do Sul, SP: Difusão, 2013. (Coleção Faces da Cultura e da Comunicação Organizacional, v. 3)

ELKINGTON, J. *Cannibals with forks*: the triple bottom line of 21st century business. Oxford: Capstone, 1997.

ETHOS. Princípios e compromissos. *Instituto Ethos de Empresas e Responsabilidade Social*, São Paulo, 2013. Disponível em: <http://www3.ethos.org.br/conteudo/sobre-o-instituto/principios-e-compromissos/#.Ul-7svdLUlb0>. Acesso em: 16 out. 2013.

JUSOOR. *Jusoor*, Omã, 2013a. Disponível em: <www.jusoor.om/>. Acesso em: 16 out. 2013.

______. *Founding companies*. Jusoor, Omã, 2013b. Disponível em: <http://www.jusoor.om/orpic.html>. Acesso em: 16 out. 2013.

KUNSCH, M. M. K. A comunicação para a sustentabilidade das organizações na sociedade global. In: KUNSCH, M. M. K.; OLIVEIRA, I. L. (orgs.). *A comunicação na gestão da sustentabilidade das organizações*. São Caetano do Sul, SP: Difusão, 2009. p. 57-81.

KUNSCH, M. M. K.; OLIVEIRA, I. L. (orgs.). *A comunicação na gestão da sustentabilidade das organizações*. São Caetano do Sul, SP: Difusão, 2009.

MARIA, G. Omã: Oásis da Paz. *Globo Repórter*. Programa exibido em 13 de abril de 2012. Vídeo disponível em: <http://www.youtube.com/watch?v=ApXD3gbgNkk>. Acesso em: 16 out. 2013.

MATIZES. *Jusoor*: contributing to sustainable development. [Relatório de constituição da Jusoor – Vol. 01]. São Paulo: Matizes, 2012a. Impresso. 138 p.

______. *Jusoor on the field*. [Relatório de constituição da Jusoor – Vol. 02]. São Paulo: Matizes, 2012b. Impresso. 206 p.

______. *Socioeconomic integrated diagnosis of the Al Batinah North Region of the Sultanate of Oman: thematic synthesis and integrated analysis*. [Relatório da Vale]. São Paulo: Matizes, 2011a. Impresso e CD-ROM.

______. *A Vale em Omã*: comunicação, relacionamento e investimentos sociais. Análise e recomendações. São Paulo: Matizes, 2011b. CD-ROM.

______. *Communication strategy*. São Paulo: Matizes, 2011c. CD-ROM.

MELLO, F. John Elkington: o poder da sustentabilidade para o sucesso das empresas. *Administradores Notícias*, 8 nov. 2010. Disponível em: <http://www.administradores.com.br/noticias/administracao-e-negocios/john-elkington-o-poder-da-sustentabilidade-para-o-sucesso-das-empresas/39842/>. Acesso em: 16 out. 2013.

PETERSON, J. E. Oman: physical and human geography. *JEPeterson.net*, out. 2001. Disponível em: <http://www.jepeterson.net/sitebuilder-content/sitebuilderfiles/Oman_Encyclopedia_Britannica.pdf>. Acesso em: 31 jan. de 2013.

PNUD. IDH 2011 cobre número recorde de 187 países e territórios. *Programa das Nações Unidas para o Desenvolvimento (Pnud)*, Brasília, 2 nov. 2011. Disponível em: <http://www.pnud.org.br/Noticia.aspx?id=2589>. Acesso em: 16 out. 2013.

VALE. *Sobre a Vale*. Disponível em: <http://www.vale.com/PT/aboutvale/Paginas/default.aspx>. Acesso em: 16 out. 2013.

WCED – World Commission on Environment and Development. *Our common future*. Nova York; Oxford: Oxford University Press, 1987.

YOUNG, R. Cidadania sustentável. *Ideia Sustentável*, São Paulo, a. 8, n. 30, p. 30, dez. 2012.

ROTEIRO PARA ANÁLISE DA FACE

Marlene Marchiori

O Grupo de Estudos Comunicação e Cultura Organizacional (Gefacescom),[1] cadastrado no CNPq, nasceu em 2003 na Universidade Estadual de Londrina (UEL).

Um dos maiores desafios organizacionais da atualidade concentra-se, primeiramente, em sua instância interna. Cada organização é única, assim como é o ser humano, com sua cultura peculiar, seus valores, sua forma de ser e ver o mundo. Somos testemunhas de que as organizações são compostas essencialmente de pessoas e sabemos que são elas que fazem, que arquitetam, que realizam e que constroem autenticidade nos relacionamentos. O desvelar das faces da cultura e da comunicação organizacional instiga o conhecimento desses ambientes, em seus processos, práticas, estruturas e relacionamentos.

O Gefacescom, ao desenvolver pesquisas teóricas sobre a temática, identificou que os estudos poderiam ir muito além do entendimento da cultura como visão, missão e valores nas organizações. Assim, desvendou e identificou diferentes faces, que possibilitam o conhecimento das realidades organizacionais, com linguagem e conteúdo próprios, sendo inter-relacionadas com a perspectiva de análise da cultura e da comunicação organizacionais. Um roteiro com sugestões de perguntas, adaptável para a análise de cada estudo temático, pode orientar o desenvolvimento de trabalhos nesse campo específico e em seus relacionamentos. O roteiro

[1] Disponível em: <http://www.uel.br/grupo-estudo/gefacescom>. Acesso em: 16 set. 2013.

pode ainda fazer crescer o nível de questionamentos ao explorar, mais detalhadamente, as diferentes faces, de acordo com a realidade observada na organização estudada, fazendo emergir possibilidades de estudos que revelem interfaces e novas faces.

Nos volumes da coleção *Faces da cultura e da comunicação organizacional* encontram-se diferentes roteiros, totalizando mais de setecentos questionamentos.

Agradecemos a participação dos alunos de iniciação científica do Gefacescom, dos pesquisadores colaboradores Regiane Regina Ribeiro e Wilma Villaça e dos colegas Fábia Pereira Lima, Leonardo Gomes Pereira e Márcio Simione que, com seus conhecimentos sobre campos específicos, colaboraram no desenvolvimento dos roteiros.

Visão

1. A organização tem uma visão? Em caso afirmativo, qual é a visão da organização? Esta é clara e explícita? Em caso negativo, por quê?

2. Como você tomou conhecimento da visão? De que forma a pratica? Cite exemplos.

3. A visão promove o desenvolvimento da organização? Como?

4. Caso a organização não tenha a visão definida de forma escrita: qual é a visão da organização? Esta é clara para todos? Em caso afirmativo, como?

5. Você participou do processo de criação e definição da visão? Como foi esse trabalho? Pode comentá-lo? (Observe se a visão apresenta flexibilidade, resistência ao tempo, precisão, articulação e inspiração.)

6. De que maneira a cultura individual influenciou o processo de formulação da visão da organização?

7. Quais foram os passos seguidos na formulação e na implantação da visão na organização?

8. A visão da organização é comunicada aos empregados? Como ocorre o processo de envolvimento deles na prática da visão organizacional?

9. Você acredita que a visão é vivenciada pelos empregados? Como? Cite exemplos.

10. De maneira geral, como você avalia a visão da organização? Pode ser considerada motivadora, de fácil apreensão, flexível etc. Por quê?

11. Em sua opinião, qual é a importância da visão para o negócio da organização?

12. Você acredita que todos na organização têm essa visão?

13. Como a organização chega ao consenso em relação aos objetivos e às metas globais para alcance do que deseja ser?

14. Considerando a missão e a forma de vivenciá-la, você acredita que há necessidade de revisão? Em caso afirmativo, qual é o motivo e o momento considerado oportuno. Em caso negativo, por quê?

15. Em seu período de convivência na organização, que mudanças ocorreram na visão e o que você considerou positivo ou negativo?

16. A visão se faz presente nos momentos em que a organização está em evidência? (Publicidade, por exemplo.)

17. A visão por definição é um ponto ao qual a organização gostaria de chegar? (Referencie a visão da organização.) Por quê?

18. Como os empregados buscam o estágio futuro? (Afinal, a visão é uma representação do futuro ao qual uma organização deseja chegar.)

19. Você gostaria de fazer mais algum comentário sobre a visão da organização?

Missão

20. Para que a organização foi criada e para o que deve servir?

21. A missão traduz a filosofia da organização – valores, crenças, princípios que balizam sua conduta ética?

22. O processo de desenvolvimento e comunicação difere da visão?

23. De que modo a missão é vivenciada e valorizada pelos empregados na organização?

24. Qual é a importância da missão para o negócio da organização?

25. Você considera que os empregados estão atualizados e informados quanto à missão da organização? Em que sentido? Cite exemplos.

26. Como a missão é difundida? Como se torna parte do cotidiano da organização?

27. De que maneira a organização avalia seu posicionamento perante a dinâmica do ambiente?

28. Existe a preocupação de integrar a missão com os objetivos da organização? Em caso afirmativo, de que modo isso ocorre? Em caso negativo, onde você acredita que estão as falhas?

29. Como são traçadas as estratégias para o fortalecimento de sua identidade?

30. Em que sentido a missão contribui para a motivação e a integração dos empregados? As pessoas conseguem entender a diferença do conceito entre visão e missão? De que forma?

31. Você acredita que há necessidade da revisão desse conceito? Qual seria o momento apropriado para sua revisão?

Valores

32. Defina os valores que norteiam a organização – afinal, estes são o resultado do aprendizado e da experiência que as pessoas encontram no ambiente cultural em que vivem (o que é natural).

33. Como você vivencia esses valores?

34. Como os valores são comunicados na organização? Como as pessoas praticam os valores? A prática é natural e constante?

35. O que você entende por valores que norteiam um comportamento comum das pessoas na organização?

36. Você acredita que possa existir diferença de comportamento em cada setor/departamento/área da organização? A que você atribui isso?

37. Há consonância entre os valores da organização e o comportamento das pessoas?

38. O que é validado pela organização como um valor? Alguns refletem um comportamento pessoal seu?

39. Você percebe alguma diferença na prática desses valores conforme o nível organizacional? Como isso ocorre?

40. Em relação aos valores: o que você considera verdade para a realidade da organização?

41. De que forma a visão, a missão e os valores ajudam na determinação dos objetivos estratégicos da organização? Como os objetivos contribuem para que estes sejam alcançados?

Política

42. O conceito de política referencia um guia de comportamento para as pessoas. Considerando essa afirmativa, você acredita que existem políticas-guias para o relacionamento com todos os públicos? Quais são? Comente.

43. Fale sobre o processo de desenvolvimento das políticas (momento em que foram concebidas, motivo da criação e definição, pessoas envolvidas etc.).

44. Como as políticas são comunicadas e praticadas pela organização?

45. Qual é o papel das políticas no processo decisório? Há alguma relação? Explique.

46. As políticas atuam como guia para a tomada de decisão?

47. Política envolve necessariamente comportamento das pessoas. De que forma as pessoas guiam seu comportamento? Elas necessitam continuamente consultar seu chefe?

48. Os empregados compreendem as políticas. Em caso afirmativo, de que forma são praticadas?

49. Quais são as vantagens percebidas pela existência dessas políticas?

50. No caso de não existirem políticas, você validaria sua existência?

51. Quais são os indicadores para a mudança das políticas da organização?

Normas e costumes

52. A organização tem normas formalizadas? Em caso afirmativo, quais são?

53. Como essas normas são difundidas?

54. Entre essas normas, quais são as prioritárias?

55. As normas são respeitadas pelas pessoas na organização? Quais são as consequências para o não cumprimento? Existe algum tipo de advertência? Em caso afirmativo, como ocorre?

56. Há alguma forma de acompanhamento por parte das chefias? Como?

57. Falando especificamente sobre costumes, quais seriam os mais comuns dentro da organização?

58. Você acredita que exista diferenciação de costumes entre cargos e funções? De que forma esta ocorre?

59. Já houve algum tipo de conflito em razão dos diferentes costumes? Em caso afirmativo, cite exemplos, se possível.

60. Quais foram os principais momentos pelos quais a organização passou; quais marcam sua história (fatos ocorridos no decorrer da vida organizacional)?

61. Cite os fatos que marcaram a organização positivamente.

62. Cite os fatos críticos que ficaram registrados na história da organização.

63. Descreva o nível de aproveitamento da organização quanto às histórias vivenciadas, tanto negativas quanto positivas.

64. Existem registros confiáveis para documentos referentes às épocas mais importantes da organização? Quais?

65. Qual importância a organização confere a sua história?

66. Em que sentido a história influencia a memória organizacional?

67. Ao serem contratados, os empregados têm algum contato com a história da organização? De que forma?

68. É realizado algum trabalho que permita manter viva a memória da organização? De que forma?

69. Qual é o objetivo da organização no desenvolvimento desse tipo de trabalho? São valorizadas a origem, a trajetória, as ações e as reações da organização?

70. A memória organizacional vem sendo preservada? Em caso afirmativo, de que forma?

71. Com base nesse trabalho de memória e história da organização, há algum vínculo estabelecido com seus empregados, familiares, a comunidade ou outros públicos? Em caso afirmativo, como isso acontece?

72. Você acredita que os símbolos contam a história da organização? De que forma? (Exemplo de metáfora de desempenho: contar histórias.)

73. Para você, os símbolos que a organização utiliza expressam/representam a cultura da organização? De que forma? (Metáfora do símbolo.)

74. Há manutenção ou desvinculação da essência dos valores defendidos pelos fundadores, da época da fundação da organização até os dias atuais?

75. Mitos são histórias consistentes com os valores da organização – narrativas que se baseiam em eventos ocorridos que informam e reforçam determinado comportamento organizacional. Considerando essa afirmativa, quais são os mitos da organização em sua opinião?

76. Há relação dos fundadores com os mitos na organização?

77. Qual é a relação dos empregados com os mitos da organização, ou seja, que reflexo pode ser percebido nas atitudes dos empregados quanto aos mitos da organização?

78. Tudo o que falamos até o momento – visão, missão, valores, políticas, normas, costumes, mitos – tem contribuído para o processo de construção da credibilidade da organização?

79. Para você, existem heróis? Em caso afirmativo, identifique-os e justifique sua resposta.

Comunicação como processo

Identifique um processo de comunicação em um ambiente e observe as relações.

80. Há troca entre emissores e receptores? O receptor é emissor em dado momento e, no momento seguinte, volta a ser receptor?

81. A comunicação como processo modifica as relações?

82. Observe se o emissor se desprende da prerrogativa de ser emissor, sendo que em um momento torna-se receptor e em outro volta a ser o emissor. Há construção coletiva de um processo?

83. Na comunicação como processo, observe a comunicação em movimento contínuo. Discorra sobre esse processo, detalhando como esse ciclo conversacional ocorre.

84. Qual é o objeto do estudo da comunicação como processo?

85. O que são indivíduos em relação?

86. Qual é o significado quando se pensa em comunicação interacional?

87. Como se dão os processos interacionais?

88. O que caracteriza esses processos? Há construção de significado compartilhado nessas relações?

89. Os indivíduos se desprendem de suas concepções e constroem em conjunto uma estratégia antes não pensada?

90. Como os sentidos se constroem nos ambientes organizacionais? A presença do indivíduo em relação com outro é condição para essa construção? Como os sentidos são construídos pelos indivíduos? Exemplifique.

91. Quais processos ocorrem no momento seguinte à construção de sentido?

92. Há o entendimento claro sobre o modelo linear de comunicação (aquele que mantém as pessoas informadas) e o modelo interacional de comunicação (aquele em que as pessoas criam os processos) nessa organização?

93. Quais situações exemplificam esses modelos?

94. Que características os diferenciam?

95. Em que situações esses modelos emergem?

96. Podemos afirmar que a comunicação nessa organização é construtora das realidades?

97. Podemos afirmar que a comunicação nessa organização é disseminadora das informações?

Comunicação e interação

98. O que você entende por interação?

99. De que forma a organização age para estimular processos de interação?

100. Como se dão os processos de interação nessa organização?

101. Como atuar para que o processo de interação não se restrinja à ação e reação?

102. A interação nas organizações deve ocorrer por meio de um sistema aberto, ou seja, com trocas entre o sistema e o ambiente. Que tipo de abertura é dado pela organização para favorecer essas trocas?

103. Qual é o nível das relações presentes nessa organização? Mais unilaterais ou circulares?

104. Os funcionários se sentem integrados com o processo de comunicação da organização?

105. A cultura da organização favorece processos de interação ou atua como limitadora desse processo? De que maneira?

106. Quais são os estímulos dados à interação mútua ante a interação reativa?

107. As novas tecnologias integradas à organização favorecem o processo de interação ou geram isolamento?

108. O processo de interação na organização baseia-se em roteiros predefinidos?

109. Você acredita que processos de interação podem contribuir para o fortalecimento da organização?

Diálogo

110. O que a organização entende por diálogo? Como se dá esse processo na organização?

111. Como você vê o envolvimento das lideranças no processo de diálogo em todos os níveis organizacionais?

112. Quais benefícios o diálogo fomenta para a cultura organizacional?

113. A organização possibilita o diálogo por meio de estratégias comunicacionais? Quais?

114. A organização oferece algum meio encontros, reuniões, confraternizações) que facilite e estimule o diálogo entre todos os níveis do organograma institucional?

115. Existe a preocupação da organização com o surgimento de ruídos comunicacionais que atrapalham o diálogo efetivo?

116. Em que níveis da organização o diálogo é estimulado?

117. O diálogo é utilizado como ferramenta estratégica para viabilizar as ações organizacionais?

118. O diálogo é trabalhado de maneira formal ou informal pela organização?

119. Como seus colaboradores se utilizam do diálogo nos relacionamentos internos na organização?

120. Qual é a dimensão do diálogo no processo de tomada de decisão?

121. Como você avalia o diálogo na organização? De forma positiva ou negativa? Por quê?

122. Como você avalia um diálogo bem estruturado?

Comunicação

Informação e comunicação

Para que a comunicação ocorra nos ambientes, é fundamental identificar a atitude do indivíduo em relação àquele processo. A informação é a matéria-prima do processo de comunicação que ocorre entre um receptor e um emissor, mas, sem o feedback, esta não se materializa.

123. O que você entende por informação?

124. Para você, qual é a diferença entre informação e comunicação?

125. Qual é a sua definição sobre um sistema de informação?

126. O que você define por comunicação em uma organização?

127. Você tem definido objetivos ou políticas de comunicação na organização?

128. Os objetivos ou as políticas de comunicação são formalizados? De que forma?

129. A comunicação influencia nos processos da organização? Como isso ocorre?

130. Quais são os níveis de comunicação existentes nessa organização?

131. Existe um processo de comunicação que integre as diferentes áreas da organização? Como este ocorre?

132. De que maneira um indivíduo se comunica com outro em diferentes realidades organizacionais?

133. Como as relações entre os indivíduos afetam uns aos outros? As trocas de informações entre as diferentes realidades da organização geram crescimento para a própria organização? Como você identifica que a organização cresça com esse intercâmbio de informações?

134. Como as redes de comunicação são alimentadas para que o fluxo se mantenha?

135. A organização utiliza algum equipamento tecnológico ou processo de gerenciamento das informações?

Comunicação estratégica

136. Qual é o valor da comunicação nessa organização?

137. Pense sobre a gestão da comunicação nessa organização e reflita:

a. Você diria que a comunicação funciona como suporte para outras áreas? Trata a informação para que as pessoas possam, por meio da comunicação, tomar conhecimento do que vem ocorrendo na organização? Explique esse processo.

b. Você diria que a comunicação trabalha em conjunto com outras áreas, numa capitalização sinérgica dos objetivos e esforços globais da organização?

c. Você diria que a comunicação é tida como estratégica, ou seja, orienta os processos e as decisões na organização, direcionando os processos organizacionais?

138. A comunicação é planejada ou as ações são elaboradas e executadas de acordo com o surgimento de necessidades?

139. As ações de comunicação são balizadas por técnicas de pesquisa?

140. São realizadas reuniões de avaliação da comunicação estratégica da organização? Quando são elaboradas novas posturas organizacionais de comunicação?

141. A comunicação contribui para a efetivação dos objetivos da organização? Em que nível (imagem, resultados econômicos, relacionamento e integração, norteamento das decisões, outros)? Quais são os instrumentos e as estratégias utilizadas para alcançar essa efetivação?

Processos de comunicação

142. O que você entende por Processo de Comunicação?

143. Você sabe quais são os elementos básicos desse processo?

144. Descreva como funciona o processo de comunicação em sua organização – emissor, mensagem, canal, receptor e *feedback*.

145. Você acredita que a organização, como fonte emissora de informações, atende às expectativas de seus públicos ou acha que deve melhorar em algum aspecto?

146. Ao codificar a informação a ser comunicada, quais são os códigos utilizados normalmente?

147. Você acredita que, para a mensagem que se deseja comunicar, os veículos utilizados são adequados?

148. Você acredita que esses canais selecionados facilitam a decodificação, ou seja, a compreensão da mensagem por parte dos públicos da organização?

149. Como vocês fazem para avaliar se as expectativas dos receptores da mensagem, ou seja, dos públicos da organização, estão sendo atendidas? É feita alguma ação para avaliar o *feedback*?

150. Existe algum tipo de barreira para que a comunicação não flua de forma saudável? Qual é ou quais são?

151. Como a organização avalia seu processo de comunicação? Acredita que está adequado ou precisa de alterações? Quais?

Comunicação interna

152. A organização trabalha a comunicação interna? Em caso positivo, de que forma? Se não, por quê?

153. Como a comunicação interna é planejada?

154. O que fundamenta a comunicação interna e suas relações?

155. O que a organização entende por comunicação interna? E para você, o que é comunicação interna?

156. Qual é o grau de importância que a organização credita para os processos de comunicação interna?

157. A comunicação interna promove a existência de canais claros e abertos em todos os níveis da organização?

158. Você acredita que esses canais são úteis para a obtenção de maior comprometimento dos funcionários e a realização de objetivos organizacionais e coletivos?

159. Quais são os pontos fortes e fracos da comunicação interna?

160. A comunicação interna praticada pela organização privilegia a interação social? De que forma?

161. A comunicação disponibiliza acesso à voz por meio de práticas democráticas e participativas? Como ocorre?

162. Quais são os canais utilizados pela organização para o estímulo da comunicação interna?

163. De que maneira os relacionamentos entre as pessoas são conduzidos nessa organização?

164. Quais comportamentos são aprovados?

165. E quais comportamentos são reprovados?

166. Como se dão os relacionamentos internos em nível de interação?

167. Quais são as ferramentas utilizadas para a busca de interação entre os departamentos?

168. E os relacionamentos internos em termos de comunicação?

169. Se falarmos em influência interpessoal, como se processam os relacionamentos?

170. Considere o nível de interação entre os grupo; como se processa esse relacionamento?

171. De que maneira os relacionamentos afetam a formação da cultura organizacional?

172. Existe diferença notória entre os diferentes níveis organizacionais em relação à circulação de informação e comunicação na organização?

173. Há diálogo nessa organização? A organização estimula sua produção?

174. Como o diálogo ajuda ou melhora a comunicação interna?

175. De que maneira o diálogo vem sendo conduzido? Ele é estimulado pelos líderes ou por todos os funcionários da organização?

176. Como a organização possibilita a participação das pessoas no processo decisório?

177. A participação é valorizada pela organização?

Toda organização se modifica por meio de suas experiências; portanto, podemos afirmar ser fundamental nessa organização a abertura para novas experiências, o que possibilita a troca de conhecimento entre os indivíduos e, consequentemente, os grupos. Para nós, pesquisadores, a comunicação tem como função a produção de conhecimento.

178. Diante dessa perspectiva, você considera que em sua organização a comunicação assume esse papel estratégico? Discorra a respeito.

179. Em sua opinião, a postura estratégica da comunicação na sua organização contribui para a atribuição de significados, se tornando mais eficaz? Discorra sobre isso.

180. Você acredita que o processo de comunicação – visto sob a perspectiva de construção de significados – é o que forma a cultura de uma organização? Em caso positivo, como? Em caso negativo, por quê?

181. Como a comunicação colabora na construção da cultura dessa organização?

182. Considerando a realidade diária vivenciada pela organização, você diria que há divisão marcante entre os departamentos? Chega-se a valorizar uma área em detrimento de outra?

183. Você nota a presença de subculturas organizacionais? Onde estão localizadas?

184. As subculturas estão em conflito ou em harmonia com a cultura dominante?

185. Mesmo havendo subculturas, em momentos decisivos, a cultura organizacional é quem domina, ou seja, prevalece no comportamento das pessoas dessa organização?

186. Para você, qual é a função da comunicação interna em uma organização?

187. Qual papel a comunicação interna desempenha nessa organização?

188. Como a eficácia da comunicação interna é avaliada em sua organização? Por quais mecanismos?

189. O que você entende por comunicação administrativa?

190. A organização trabalha com a comunicação administrativa? De que forma?

191. Você acredita que a comunicação facilita o processo administrativo? Como?

192. Como você vê a comunicação praticada pela organização? Ela é mais oral ou mais escrita?

193. Se oral: o que você considera mais importante em relação ao "ouvir" nessa organização?

194. Se escrita: quais são os veículos? Como se processa a comunicação entre as pessoas?

195. Existem barreiras de comunicação na organização? (Pessoais, administrativas, excesso e sobrecarga de informações e as informações incompletas e parciais.)

196. Quais barreiras geralmente impedem de prestar atenção na fala de alguém?

197. Existe algum método ou processo para diminuição das barreiras da comunicação? Processos que são desenvolvidos – relato da experiência.

198. Em relação aos fluxos de comunicação, de que maneira se processa a comunicação:

a. Descendente: alta administração para os funcionários.

b. Ascendente: dos demais funcionários para a alta administração.

c. Horizontal: entre pessoas do mesmo nível hierárquico.

d. Transversal: em todas as direções.

199. Existe um fluxo que prevalece mais que o outro nessa organização?

200. Se descendente, considera a comunicação de sua organização extremamente formalizada?

201. Como a comunicação administrativa é avaliada pela organização?

202. Quais são os pontos fortes da comunicação administrativa?

203. Quais são os pontos fracos da comunicação administrativa?

204. Em relação à comunicação administrativa, você a considera eficiente? Qual é a sua opinião sobre a comunicação administrativa realizada em sua organização?

205. O que vê como caminho para melhorar a comunicação administrativa?

Rede de comunicação: formal e informal

206. Como se processa a rede formal nesta organização? Cite exemplos.

207. Como avalia a comunicação formal?

208. Qual é a validade do sistema de comunicação formal?

209. Você diria que a comunicação formal é eficaz para a organização? Como?

210. Você acredita que a comunicação formal facilita a existência da comunicação informal?

211. O que pode ser considerado vantagem da comunicação formal?

212. E quais são os aspectos negativos?

213. E em relação à comunicação informal? Como esta é vista na organização?

214. Qual é o seu conceito?

215. De que forma a rede informal "acontece" na organização?

216. Existe algum mecanismo de controle da rede informal?

217. Avalie a comunicação informal de sua organização e o quanto é valorizada pelas pessoas.

218. Quais são as vantagens da comunicação informal?

219. Você vê aspectos negativos na comunicação informal? Quais?

220. A organização valoriza a rede informal? De que forma?

221. Considere as duas redes de comunicação. Qual delas tende a ser mais utilizada na organização e em quais situações?

Veículos de comunicação

222. A organização tem veículos de comunicação interna?

223. São gerais ou segmentados?

224. Quais abordagens esses veículos priorizam?

225. Especifique o veículo e sua respectiva abordagem.

226. Qual é a função real dos veículos de comunicação?

227. Como são levantadas as informações divulgadas nos veículos?

228. O veículo causa alguma expectativa nos públicos? Quais?

229. Além do (cite um dos veículos que a organização tem), quais são os demais veículos de comunicação?

230. Considera esse meio indispensável: por quê?

231. Como são avaliados?

232. Quais veículos a organização prioriza no processo de comunicação face a face?

Comunicação face a face: conversa, diálogo, entrevistas, reuniões, palestras, encontros com o presidente face a face, comitês

233. Identifique os veículos face a face praticados na organização e comente-os.

234. Quais são os objetivos no uso de veículos de comunicação face a face?

235. Identifique os veículos escritos: material informativo impresso, como cartas, circulares, quadro de avisos.

236. Identifique os veículos simbólicos: insígnias, bandeiras, flâmulas e outros sinais que se classificam tanto como visuais quanto como auditivos.

237. Identifique os veículos audiovisuais: vídeos institucionais e de treinamento, avaliando seu nível de utilização.

238. Sente a necessidade de outro meio de comunicação? Qual?

239. Existe algum que obtém mais resultado que outro? Como é medido?

240. De que forma os meios utilizados possibilitam a interação com os demais públicos da organização (metáfora do fio condutor)?

Comunicação institucional

241. O que você entende por comunicação institucional? (ligada à imagem e identidade corporativa)

242. Como está estruturada a comunicação institucional e de que maneira é desenvolvida?

243. Quais são os objetivos dessa comunicação para a organização?

244. Há públicos que são priorizados nesse processo? Quais? Por que razão?

245. De que forma as estratégias abrangem esses públicos estratégicos?

246. A organização considera a opinião dos públicos para a determinação das estratégias?

247. De que forma os públicos tomam conhecimento dessa atitude organizacional?

248. Fale sobre os programas e projetos que englobam essa comunicação.

249. Você acredita que as ações estão alcançando os objetivos propostos pela organização?

250. Para você, a comunicação institucional é vista como um instrumento de transmissão (metáfora do fio condutor). Comente essa questão.

251. Quais são os pontos fortes e fracos dessa comunicação?

252. De que maneira a comunicação institucional tem contribuído para a formação da identidade organizacional da organização?

Comunicação mercadológica

253. O que você entende por comunicação mercadológica?

254. Como é desenvolvida a comunicação mercadológica na organização?

255. Que medidas foram adotadas para desenvolver a comunicação mercadológica dentro da organização?

256. Quais são os objetivos da comunicação mercadológica?

257. Quais são os públicos trabalhados pela comunicação mercadológica?

258. A organização identifica as expectativas de seus públicos em relação à comunicação mercadológica? De que maneira mapeia o desejo e as necessidades dos clientes, por exemplo?

259. Quais são as ações (projetos e programas) aplicadas?

260. Você acredita que a comunicação mercadológica está alcançando os objetivos traçados?

261. Aponte os pontos fortes e os pontos fracos da comunicação mercadológica.

262. Como a comunicação mercadológica trabalha a imagem da organização?

Liderança

Liderança e poder

263. Você considera que nessa organização as pessoas têm habilidade para conduzir suas ações no intuito de influenciar outras pessoas a seguir suas diretrizes? Como funciona essa relação?

264. As pessoas criam o seu ambiente de trabalho e suas relações. De uma forma geral, você diria que a liderança é autocrática ou democrática?

265. Os líderes exercem influência no comportamento da organização? De que forma?

266. Como você se define como líder? Fale especificamente em relação a sua forma de condução da liderança.

267. Você se considera um líder? De que forma exerce sua liderança nessa organização? Como é reconhecido/identificado como líder?

268. Como os relacionamentos líder – liderado ocorrem nessa organização?

269. Pense na liderança informal. Como pode ser caracterizada nessa organização? Há setores em que se identifica maior presença?

270. Quais são as consequências quando ocorrem eventuais disputas entre departamentos?

271. Qual é a interferência dessas disputas nos processos de desenvolvimento da organização?

272. Nessa organização existem momentos em que alguns grupos julgam-se melhores que os outros? O que acontece quando isso ocorre?

273. Como se processa a tomada de decisão? Há centralização da informação e, consequentemente, da tomada de decisão? Qual é a participação de cada público durante o processo? (centralizado/descentralizado)

274. Qual é a dependência da organização em relação aos líderes quando pensamos em eficácia?

275. Como avalia o comprometimento das lideranças para com a organização? Qual é o grau de motivação dos líderes em relação à organização?

276. Quando se fala em metas, como os líderes se relacionam com seus liderados? Como a eficiência de cada área é avaliada?

277. Quem responde por esse processo de controle é o líder ou há decisão coletiva no relacionamento líder – liderado? De que forma o líder conduz esse relacionamento?

278. Como se processa a comunicação dos líderes com seus liderados (oralmente, memorandos etc.) De que maneira você avalia essa função na organização?

279. As lideranças atuam no intuito de alinhar o pensamento estratégico da organização com seus liderados? De que forma?

280. Especificamente em relação à comunicação entre líderes e liderados, você vê alguma resistência nesse processo? Se sim, o que sugere para diminuí-la?

281. Quais elementos você considera fundamentais para que o líder consiga ser ouvido?

282. Você afirma haver diálogo nessa organização entre líderes e liderados? Como o diálogo é construído?

283. Você identifica comportamentos pessoais que são valorizados na organização?

284. Existência de comportamentos e atitudes repudiados pela organização: como proceder em caso de algum membro da organização apresentar esse comportamento?

285. Você entende que nessa organização o gerente exerce a função de líder? Para você, como a função do líder é construída?

286. Como se dão as relações entre as próprias lideranças?

287. Para o exercício do poder, quais elementos as pessoas levam em consideração na organização?

Elementos, materiais ou simbólicos, são percebidos como indicativos de quem detém o poder na organização (posição no organograma, sala, salário, informações, trajes, placa na porta, horário de trabalho, benefícios etc.).

288. Que tipo de elementos você acredita que exerça poder na empresa?

289. Como se apresenta a relação entre liderança e poder na organização?

290. Há algum ponto específico sobre liderança e poder que você gostaria de relatar? Sinta-se à vontade, pois, às vezes, quando paramos para refletir e conseguimos entender alguns processos internos, é importante proporcionar o espírito de mudança diante deles.

Linguagem e símbolos

Nos processos de comunicação, a linguagem está sempre presente, e é fundamental entendermos como este incide nos relacionamentos. Existe a linguagem oral, escrita, técnica, não verbal, números, espaço, artefatos, tempo, movimento e a própria linguagem silenciosa, entre outras.

291. Quais dessas linguagens, são mais facilmente observadas na organização?

292. Existem diferenças na linguagem entre os próprios indivíduos e entre os setores da organização?

293. Além das diferentes linguagens, temos ainda diferentes usos de linguagem na organização. Como você observa a linguagem pessoal?

294. E a linguagem profissional?

295. A linguagem no ambiente interno tem um tom mais pessoal ou profissional?

296. Quanto à linguagem cultural, o que pode comentar?

297. Nas pequenas diferenças que observou em relação à existência de várias linguagens, você diria que existe algum tipo de troca que possibilite o entendimento entre essas pessoas?

298. Se as pessoas têm diferentes linguagens, isso compromete de alguma forma a produtividade da organização?

299. Você acredita que há alguma influência na questão de hierarquia e de poder quanto às diferentes linguagens utilizadas na organização?

300. Qual é a preocupação da organização em relação à linguagem utilizada com os diferentes públicos?

301. O que você diria que é comum entre as linguagens utilizadas na organização?

302. O discurso da organização é condizente à ação que a organização desenvolve? Se sim, como favorece o desenvolvimento da organização. Se não, por que acha que isso ocorre?

303. Em que sentido esse discurso favorece o desenvolvimento da organização?

304. Qual é a preocupação da organização em relação à produção dos meios a serem utilizados?

Em uma organização, há muitos símbolos que podem ser reconhecidos prontamente, como slogan e logo, e outros não tão evidentes, mas todos passam uma mensagem.

Slogan

305. A organização tem slogan?

306. Qual é a sua finalidade para a organização? Promover a marca exclusivamente para o consumidor ou para todos seus públicos?

307. Qual é a ideia central do slogan?

308. Quem foi responsável por criar o slogan e como foi sua escolha e aprovação?

309. Quais são os meios mais utilizados para sua veiculação?

310. Houve modificação do slogan desde a criação da organização? Em que momento? Por quê?

311. Quando houve a mudança, a ideia central do slogan foi mantida?

312. Qual é a sua opinião sobre o slogan e a eficácia deste?

313. Você acredita que o slogan utilizado está de acordo com o modo de ser da organização?

Logo

314. A organização tem logotipo? Em caso afirmativo, dê sua opinião sobre ele.

315. Quem foi responsável por criar o "logo" e como foi sua escolha e aprovação?

316. Houve modificação desde a criação da organização? Em que momento? Por quê?

317. O "logo" está presente em todos os produtos?

318. O "logo" representa adequadamente a organização?

Outras linguagens

319. Nessa organização, que tipo de objeto representa status (placa na porta, sala individual, uniforme e restaurante diferenciado)?

320. Como você avalia o seu espaço de trabalho? Quais são as diferenças entre o seu espaço e o dos demais funcionários?

321. O que o layout de sua organização transmite (impressão física)? Você acredita que consiga transmitir a essência da organização? Por quê?

Discurso

Discurso pode ser entendido por uma rede textual estruturada por linguagens que, com base nos processos comunicativos, criam vínculos entre os indivíduos, gerando cadeias relacionais. Sendo assim, é importante a sua análise para verificar, principalmente, os sentidos que produz.

322. De que forma o discurso reflete a cultura organizacional?

323. O discurso organizacional, quando escrito, é produzidos dentro da norma-padrão da língua portuguesa e com estrutura formal?

324. Quais são as principais diferenças entre os discursos orais e escritos?

325. Como se caracteriza, em geral, o estilo composicional (recursos lexicais, sintáticos, gramaticais e estrutura formal do texto) dos discursos da organização?

326. Quais são as principais intenções (intencionalidade) dos discursos produzidos pela organização em sua rede formal de comunicação?

327. Quais são as principais intenções (intencionalidade) dos discursos produzidos pela organização em sua rede informal de comunicação?

328. Os discursos apresentam características diferenciadas dependendo da temática (conteúdo da mensagem)? Discorra sobre isso.

329. Quem são as principais instâncias produtoras de discursos na organização (comunicação, marketing etc.)?

330. Elas trabalham em consonância ou dissonância?

331. De que forma o discurso organizacional está presente nas práticas organizacionais? Dê exemplos.

332. Como o discurso organizacional se efetiva para o interesse dos diversos públicos de interesse da organização?

333. Quem são os públicos de interesse (interlocutores) que mais são alimentados pelos discursos organizacionais?

334. A organização acredita haver maior produção de discursos com a introdução das redes digitais de comunicação, já que essas possibilitam maior intercâmbio de informação? Se sim, exemplifique.

335. A organização acredita haver maior modificação nos discursos com base na introdução das redes digitais de comunicação, já que estas possibilitam maior intercâmbio de informação? Se sim, exemplifique.

336. A organização leva em consideração os discursos produzidos pelas redes informais de comunicação?

337. Quais são as principais diferenças nos discursos das redes formais de comunicação e das redes informais?

338. Você identifica mais de um discurso na organização? Se sim, quais?

339. O discurso da organização é condizente com a ação que a organização desenvolve?

340. Em que sentido esse discurso favorece o desenvolvimento da organização?

Conhecimento, mudança e inovação

Aprendizagem e conhecimento organizacional

341. O que é aprendizagem organizacional? Como se dá esse processo na organização?

342. A organização estimula a aprendizagem organizacional por parte de seus colaboradores mediante algumas políticas? Como se dá esse processo na organização?

343. Em relação à organização, ela tem disposição em aprender? Modifica seus comportamentos? De que forma?

344. Qual é a disponibilidade, por parte da organização, em relação a treinamentos e capacitação? O que ela vem fazendo? Como avalia o retorno desse investimento?

345. Existe algum setor ou profissional responsável pela avaliação e ponderação do processo de aprendizagem organizacional?

346. Como você vê o envolvimento das lideranças no processo de aprendizagem organizacional?

347. Esse aprendizado proporciona novas formas de "agir da organização"? Cite um exemplo.

348. Para você, o que é conhecimento? Como você relaciona aprendizagem com conhecimento? Por quê?

349. Você acredita que a aprendizagem vem antes do conhecimento? Por quê?

350. Quais são as perspectivas da organização perante a aprendizagem? Como se dá sua relação com o conhecimento?

351. Além da tomada de decisão – que compete ao desempenho da função liderança –, como você envolve seus liderados na produção do conhecimento?

352. Como a organização transmite conhecimento para os novos funcionários?

353. Há permissão da organização no que diz respeito à exteriorização do conhecimento adquirido pelos funcionários? Como isso acontece?

354. Qual é a função da comunicação nesse processo? Como ocorre?

355. A comunicação constitui um elemento fundamental para o processo de aprendizagem? Até que ponto é valorizada?

356. Você diria que o conhecimento é valorizado e compartilhado na organização ou cada um guarda para si o que aprendeu? Cite um exemplo considerando sua experiência organizacional.

357. Na organização, as pessoas se colocam à disposição para aprender ou apresentam alguma resistência? Comente.

358. A organização cria oportunidades para a interação e troca de conhecimento entre seus colaboradores? De que forma? Cite exemplos.

359. O discurso, visto como forma de construção social – pode transformar a ação e servir de aprendizagem organizacional? De que forma? (metáfora discurso)

360. Em sua opinião o que é relevante para a organização: bens tangíveis (produzidos por ela – aquilo que tem de palpável) ou bens intangíveis (capital humano, ao conhecimento de seus funcionários e a inteligência competitiva). Por quê? De que forma a organização valoriza?

361. No processo de aprendizagem dos funcionários, que tipo de conhecimento é predominante – o técnico/operacional ou o que se refere à construção de significados. Como ocorre?

362. Qual conhecimento você considera mais importante? Por quê? Como você aplica isso a seus liderados?

363. O que mais você gostaria de destacar em relação à aprendizagem e ao conhecimento organizacional?

364. Você tem alguma sugestão para a organização nessa área?

365. O que você gostaria que a organização fizesse por você?

366. Como a organização busca inovar em produtos e serviços? Quais são os métodos utilizados para isso?

367. Já passou por momentos em que sentiu necessidade de se diferenciar do concorrente? Como agiu?

368. Qual é o posicionamento da organização diante das tendências do meio ambiente?

369. Qual é a reação da organização? Como é traduzida?

370. Você acredita que sua organização pode ser definida como inovadora, conhecedora dos assuntos e imaginativa? Quais motivos/situações o levam a essa conclusão?

371. Fale sobre a postura da organização ante as ameaças e oportunidades. Como é monitorada?

372. Qual seria a predisposição dos dirigentes em relação às inovações referentes às atividades da organização?

373. Qual é o posicionamento dos funcionários ante as inovações sugeridas pela organização?

374. De que forma as inovações são comunicadas para a organização como um todo? Quais instrumentos são utilizados para isso?

375. De que forma as novas ideias são colocadas em prática na organização? Há ousadia, coragem?

376. Você define essa organização criativa? Justifique.

377. Você percebe a criatividade como um agente facilitador da mudança? Como essa se dá?

378. De que forma a organização estimula seus funcionários no desenvolvimento da criatividade?

379. De que forma os processos de mudança ocorrem? Atitudes são tomadas em conjunto?

380. Para essa organização existem processos de mudança? Em caso positivo, qual é o foco desses processos?

381. Como a organização prevê a mudança?

382. De que forma a organização conduz o processo de mudança? Ela imprime coragem em todos os seus membros?

383. Qual é a função e a importância da comunicação um processo de mudança? De que maneira as pessoas – principal ativo da organização – são envolvidas?

384. Em sua concepção, qual processo de mudança teve maior impacto na organização?

385. A organização consegue fazer com que as mudanças deixem de ser consideradas um entrave em seus processos?

386. Como a organização consegue fazer com que isso aconteça? Você poderia identificar as etapas/fases do processo de mudança?

387. Resumindo, como você define a postura da organização em relação ao processo de disseminação de inovação e mudança?

388. Quanto à tecnologia utilizada pela organização, qual impacto ou reação ela transmite?

389. Qual é o posicionamento da organização diante das tendências de sua área de atuação (comportamento proativo)?

390. Você considera a mudança algo desejável ou indispensável nessa instituição?

391. Como você analisa o processo de inovação e da tecnologia na otimização de processos e das condições de competitividade da organização?

392. De que forma você associa a identidade do colaborador com a organização e processos de reestruturação e mudança?

393. Em sua opinião, quais variáveis atuam como facilitadoras e dificultadoras da implementação de mudança nessa organização?

Redes digitais

Redes digitais de comunicação

São as relações entre os indivíduos na comunicação mediada por computador. Esses sistemas funcionam por meio da interação social, buscando conectar pessoas e proporcionar sua comunicação por meio de blogs, comunicadores instantâneos, ferramentas sociais, softwares de interação e informação, entre outros.

394. O que você entende por redes digitais?

395. Quais são as redes existentes na organização? Twitter, Facebook, blog, podcast, RSS etc.?

396. Há alguma rede apenas para o público interno? Em caso positivo, qual?

397. De que maneira a organização vem procurando aproximar os horizontes da tecnologia?

398. Qual é o nível de preocupação da organização em se manter atualizada com o avanço das redes?

399. Como se deu – ou se dá, continuamente – a transcrição das velhas para as novas formas de comunicação?

400. De que maneira a organização promove a implantação de novas redes? Qual é o processo?

401. Já foi observada alguma resistência com a introdução de novas redes? Como isso ocorreu?

402. Como a organização lida com as eventuais resistências?

403. Como essas redes são alimentadas?

404. Que importância a organização credita às redes?

405. No ambiente organizacional, há redes que promovam a socialização?

406. Quais experiências a organização revela?

407. As redes da organização atuam em sentido mais interativo ou informativo?

408. Como essas redes influenciam no comportamento dos indivíduos?

409. Como essas redes refletem o ambiente organizacional como um todo?

410. As redes exercem algum impacto na agilidade da organização?

411. De que maneira a tecnologia tem facilitado o trabalho colaborativo?

412. Quanto essas redes contribuem para agilizar o trabalho?

413. Há algum tipo de controle sobre o desenvolvimento de redes na ou sobre a organização?

414. Existe algum tipo de desvantagem na introdução das redes digitais na organização? Desperdício de tempo, de produção, uso indevido?

415. Em sua opinião, as redes digitais proporcionam vínculo aos públicos da organização?

416. São usadas de forma estratégica agregando valor aos diferentes públicos? De que forma?

417. O uso de redes digitais na organização está integrado ao planejamento global da comunicação?

418. As redes digitais promovem o mesmo poder comunicativo e igual oportunidade de acesso a todos os indivíduos da organização?

419. Os indivíduos atuam nas redes digitais como receptores passivos ou produtores de conteúdo? Explique.

420. As redes sociais promovem relações interpessoais de confiança, afinidade e reciprocidade? Como?

421. As redes sociais são mantidas voluntariamente? Como isso ocorre na organização?

422. As redes sociais são vistas pela organização como facilitadoras de troca de informações, opiniões, questionamentos, pontos de vista, visões de mundo?

423. De que forma as redes facilitam o desenvolvimento da organização?

Relações entre organizações e sociedade

O colega Marcio Simione é o autor deste roteiro de perguntas para o volume Sociedades, comunidade e redes, *da* coleção Faces da cultura e da comunicação organizacional.

*As organizações, como sistema social, estão em constante relação com outros sistemas e subsistemas. Em especial, as organizações interagem com o macroambiente social e político, ao qual precisam se adaptar constantemente, reagindo às mudanças e de onde precisam obter aceitação e legitimidade para sua existência. Para isso, precisam dar contas publicamente de sua atuação no âmbito privado (*accountability*) e assumir responsabilidades pelos impactos perante a sociedade (responsabilidade social). Nessa perspectiva se dão as relações entre as organizações e seus públicos.*

424. O que compõe o macroambiente social na contemporaneidade?

425. O que configura as organizações como um sistema social, em sua relação com o macroambiente?

426. Como se dá o processo de legitimação de uma organização pela sociedade?

427. Como a organização busca justificar sua existência e buscar aceitação social para as suas atividades?

428. De que maneira os públicos se formam na sociedade, em referência às diversas organizações?

429. Nos contextos democráticos, qual é o papel político dos públicos perante as organizações?

430. Qual é a relação entre as questões de interesse público, a formação dos públicos e o exercício da cidadania?

431. Quais são as dinâmicas de adaptação da organização às mudanças no ambiente social?

432. Como a organização é vista em termos de uso de recursos naturais e de impacto ao meio ambiente? Que respostas procura dar a questões de sustentabilidade?

433. De que forma e por que meios se dá a prestação de contas públicas das atividades da organização (*accountability*)?

434. O que constitui a responsabilidade social das organizações? Como se efetiva?

435. Como se dão as mediações no relacionamento entre as organizações e a sociedade? Qual é o papel dos meios de comunicação nesse processo?

436. Como a relação entre a organização e a sociedade se dá na prática profissional de comunicação organizacional e de relações públicas?

437. Quais são as formas de compreender o sistema social sob a perspectiva da formação das questões publicas, das controvérsias e da opinião pública?

438. Que dilemas morais e éticos as organizações enfrentam em suas relações com a sociedade?

Relações entre as organizações e as comunidades

As organizações produzem impactos econômicos, políticos, sociais e culturais em sua vizinhança e, por isso, precisam relacionar-se com as comunidades de seu entorno. Vistas como públicos, essas comunidades são fontes tanto de cooperação quanto de conflito e sobre estas a organização se vê diante da necessidade de assumir uma responsabilidade social de modo mais imediato.

439. O que caracteriza uma comunidade em uma visão das sociedades modernas?

440. Como as comunidades podem ser vistas sob a perspectiva da sociabilidade no mundo atual?

441. O que caracteriza uma comunidade (ou comunidades) como um público para a organização?

442. Que tipo de interesses as comunidades projetam sobre a organização? Que demandas geram?

443. Que tipo de interesses a organização projeta sobre as comunidades de sua vizinhança? Qual é a relação dessa projeção com a forma como define sua missão, sua visão e seus valores?

444. De que maneira a organização define o alcance desses públicos que se encontram em sua vizinhança?

445. Como se pode captar e compreender a movimentação dos diversos públicos que constituem uma comunidade para a organização? Como perceber a dinâmica comunitária em uma localidade?

446. Como captar as formas sob as quais as comunidades organizam suas demandas em relação à organização?

447. Que relações específicas se estabelecem entre as operações da organização e sua vizinhança?

448. Quais são as principais fontes de conflito entre organização e comunidades?

449. Como a organização trata as questões relativas aos impactos negativos causados às comunidades?

450. Como as comunidades se fazem representar como públicos ante a organização?

451. Como se constituem as relações de poder entre a organização e as comunidades de sua vizinhança? Como a organização trata as questões políticas da localidade onde se insere?

452. Em que sentido as comunidades se tornam públicos de projetos sociais e de responsabilidade social para a organização? Qual é a importância desses projetos?

453. Qual é a relação entre a cultura organizacional e a cultura da localidade?

454. Que ações de comunicação são planejadas e realizadas pela organização com o intuito de estabelecer uma relação contínua com as comunidades?

455. Qual é a relação entre a organização e os meios de comunicação locais e como atuam esses meios em relação às comunidades?

456. Quais são as formas de a organização captar opiniões e atitudes da comunidade e avaliar continuamente essa relação?

457. Como se dá e se organizam, na organização, a atividade profissional de relacionamento com as comunidades?

458. Que dilemas morais e éticos são frequentes no relacionamento com as comunidades?

Comunicação midiatizada

Os colegas Fábia Pereira Lima e Leonardo Gomes Pereira são os autores deste roteiro de perguntas para o volume Contexto organizacional midiatizado, *da* coleção Faces da cultura e da comunicação organizacional.

Comunicação midiatizada e o fenômeno da midiatização

459. Conceitue comunicação.

460. O que é um modelo ou paradigma de comunicação?

461. Qual é o objeto de estudo da comunicação?

462. Qual é a relação entre adotar determinado modelo conceitual de comunicação e criar estratégias e/ou ações para a comunicação?

463. O que significa pensar a comunicação em termos de circulação, ou seja, em termos de processos circulares de produção ↔ consumo?

464. O que são sujeitos em comunicação?

465. Diferencie emissores e receptores de sujeitos em comunicação.

466. O que é interação?

467. O que é transmissão?

468. O que é informação?

469. O que é mensagem?

470. Qual relação você estabelece entre as palavras "comum" e "comunicação"?

471. O que significa a palavra processo? Que tipo de ênfase esta confere ao estudo da comunicação quando dizemos "processo da comunicação"?

472. Em seu entendimento, a informação é algo pronto e anterior ao processo de comunicação?

473. O que é sentido? Como é construído?

474. Produzir e compartilhar sentido é o mesmo que informar? Explique.

475. Explique a contraposição entre os modelos lineares e circulares da comunicação.

476. Quais elementos são centrais em cada modelo?

477. Exemplifique ações de comunicação que parecem se basear em cada um desses modelos.

478. O que significa mídia? Qual é a origem dessa palavra e quais ideias podemos tirar?

479. Como você pensa a relação entre mídia e sociedade?

480. Defina dispositivo.

481. O que você entende por dispositivos midiáticos?

482. Você considera que exista diferença entre veículos de comunicação e dispositivos midiáticos? Se sim, qual(is)? Se não, por quê?

483. Conceitue comunicação midiatizada.

484. Para você, existe comunicação não midiatizada?

485. Qual é a diferença entre mediação e midiatização?

486. Quais são as especificidades das mediações midiáticas? E o que caracteriza as mediações midiáticas líquidas?

487. Por que a comunicação midiatizada não pode ser pensada segundo uma lógica de circulação de conteúdo entre emissor e receptor, com base em veículos de comunicação?

488. O que é circulação intermidiática?

489. Em comunicação, o que é consumo produtivo? E produção consumidora?

490. O que é a midiatização das instituições?

491. O fenômeno da midiatização compreende os processos pelos quais as mais diversas esferas da vida social operam segundo a lógica das mídias.

492. Quais são as principais especificidades da esfera midiática?

493. Quais transformações podemos perceber nas demais esferas da vida social quando estas se tornam midiatizadas? Dê exemplos no campo da política, da religião, da arte e/ou do ensino.

494. Como a atuação do profissional de comunicação influencia na dinâmica da midiatização?

495. Como o fenômeno da midiatização altera a prática do profissional de comunicação?

496. O que é visibilidade? E visibilidade midiática?

497. Relacione visibilidade midiática e legitimação.

498. Conceitue mídias sociais.

499. Conceitue redes sociais.

500. Qual é a diferença entre mídias sociais e redes sociais?

501. O que são discursos?

502. Como o conceito de discurso leva à compreensão da maneira como os sentidos são produzidos para além de uma análise da linguagem?

503. Tendo em vista uma abordagem linear e funcional da comunicação, articule as ideias de meio e de linguagem. Como o conceito de discurso torna complexas essas ideias?

504. O que significa entender discursos como prática social?

505. Diferencie fala e discurso.

506. Explique a noção de dialogismo do discurso.

507. O que significa polifonia?

508. Conceitue polissemia.

509. Como você entende a relação entre discurso e contexto?

510. Conceitue nível intradiscursivo e nível interdiscursivo.

511. Como se dá o processo pelo qual os sujeitos, com base em discursos, constroem sentido?

512. Explique a relação entre o cotidiano e a dinâmica de produção de sentidos.

513. Explique a ideia segundo a qual o signo – como elemento discursivo – é lugar de embate, foco de luta e contradição.

514. O que é formação discursiva?

515. Explique a diferença entre discursos formadores ou criadores e discursos secundários.

516. O que é enunciação?

517. O que é enunciado?

518. Como as ideias de enunciação e de enunciado nos ajudam a compreender as relações entre "emissores" e "receptores"?

519. Pense em exemplos nos quais podemos ver a imagem de destinatário concebida pelo sujeito enunciador inscrita em seu enunciado.

520. O que é uma comunidade discursiva?

521. Articule discurso e identidade.

522. Explique a noção de contrato de leitura.

523. O que significa compreender as organizações como estruturas e como sujeitos enunciadores?

524. Problematize a noção de *feedback* com base na ideia de que organizações são sujeitos enunciadores, e não estruturas que criam e distribuem sentidos.

525. O que significa virtual?

526. Você entende virtual como oposição a real? Explique.

527. Diferencie virtual de atual.

528. Como podemos relacionar as ideias de virtual e de potencial?

529. Caracterize mídias sociais como ambientes virtuais.

530. O que significa dizer que as mídias sociais permitem a proliferação de sujeitos enunciadores?

531. Defina cultura em sua relação com a comunicação.

532. O que é uma organização?

533. Conceitue discurso organizacional.

534. Em que medida a polifonia do ambiente virtual desafia o discurso estruturante das organizações?

535. Em que medida a polifonia do ambiente virtual inaugura novas dinâmicas de produção de discursos, sentidos e negociação de poder?

536. Explique os conceitos de enunciação e posições de sujeito.

537. Discuta um exemplo do discurso institucional de uma empresa, apresentado em seu site, como posição de sujeito que tenta enquadrar determinados sentidos.

538. Quais são as principais intenções (intencionalidade) explícitas e/ou implícitas do discurso institucional citado?

539. Discuta um exemplo de negociação de sentidos, com base em depoimento(s) de consumidor(es) nas mídias sociais digitais sobre alguma prática organizacional.

540. Como os processos comunicacionais influenciam a constituição da cultura organizacional?

541. De que forma o discurso reflete a cultura organizacional?

542. Um planejamento de comunicação bem elaborado é capaz de construir, ante os diversos públicos da organização, um sentido único para o discurso organizacional? Por quê?

543. Há diferença nos discursos das redes formais de comunicação e das redes informais?

544. Qual é a importância para a organização considerar os discursos produzidos pelas redes informais de comunicação?

545. Você acredita haver maior produção de discursos de uma organização com base na introdução das redes digitais de comunicação, já que estas possibilitam maior intercâmbio de informação? Explique e exemplifique.

546. Você acredita haver maior modificação nos discursos com base na introdução das redes digitais de comunicação, já que estas possibilitam maior intercâmbio de informação? Explique e exemplifique.

547. De maneira geral, como você avalia o atual estágio de atuação das organizações nas redes sociais existentes (Twitter, blog, Facebook, podcast, RSS etc.)?

548. Qual é a sua opinião quanto ao uso das redes sociais pelo público interno? Você considera importante que seja controlado? Cite argumentos contra e a favor das redes sociais no ambiente de trabalho, bem como quanto às formas de utilização.

549. Você considera que as organizações contemporâneas atuam mais em nível interativo ou informativo nas relações com seus *stakeholders*? Dê exemplos.

550. Como os discursos organizacionais nas diversas redes sociais influenciam no comportamento dos indivíduos e no ambiente organizacional?

551. De que maneira a tecnologia facilita o trabalho colaborativo?

552. De que maneira a tecnologia traz novas oportunidades de negócio para organizações de qualquer porte ou setor?

553. Explique a atuação dos indivíduos nas redes digitais como receptores passivos ou produtores de conteúdos.

554. De que forma as redes facilitam o desenvolvimento da organização?

555. As novas mídias deixam claro que o papel da comunicação em uma organização não é apenas informar ou persuadir, mas, sim, o criar relações. Explique esse fenômeno.

556. Fazer uso das mídias e redes sociais não quer dizer, necessariamente, estar em relação. Por quê?

557. Você percebe as organizações preparadas para atuar no cenário atual da comunicação? Explique e exemplifique a sua opinião.

558. Explique a ideia de rede em seus aspectos tecnológicos e sociais.

559. Explique a ideia de autocomunicação de massa.

560. O que são ferramentas de produção de conteúdo colaborativo?

561. Como isso altera as práticas da comunicação nas organizações?

562. O que é um *buzz* no cenário das mídias sociais? Dê exemplo.

563. Conceitue marketing de guerrilha. Dê exemplo.

564. Discuta a noção de valor de uma rede social. Como pode ser medido?

565. Conceitue capital social.

566. No atual cenário sócio-tecnológico, vimos que as organizações são impelidas a participar nas redes sociais, constituindo-se sujeitos para e em interação. Explique como isso se articula com o conceito de midiatização.

Contexto organizacional midiatizado

567. No seu entendimento, como se dá a relação organização/sociedade?

568. As relações organizacionais evoluem com os processos interacionais da sociedade. Quais as principais transformações percebidas nos modos interacionais da sociedade contemporânea e como foram incorporadas pelas organizações?

569. Comente as transformações nas mídias organizacionais tradicionais e as atuais propostas de relacionamento da organização com seus públicos.

570. Como você avalia o impacto das mídias sociais no processo de construção das marcas, no cenário contemporâneo?

571. O que você entende por midiatização empresarial?

572. Diferencie meios de comunicação de massa de mídia organizacional.

573. Como a midiatização exige das organizações irem além do uso dos meios de massa e da mídia organizacional na tentativa de estabelecer relação com seus públicos?

574. O que significa dizer que uma organização se tornou mídia?

575. Você considera que, com a proliferação de novos dispositivos midiáticos, as organizações devem utilizar diferentes linguagens para falar com os diferentes públicos ou unificar a linguagem para manter uma unidade de sentido?

576. Ao utilizar diferentes linguagens e dispositivos midiáticos, a organização necessariamente está construindo diferentes discursos? Explique.

577. Cite o exemplo de uma campanha veiculada em diferentes meios, explicitando o que é comum entre as linguagens utilizadas e o discurso que as permeia.

Cultura, identidade e marcas

577. Conceitue identidade de marca.

578. O que é *branding*?

579. Como você explica a tendência de empresas falarem menos de seus produtos e serviços (suas características e benefícios) e falarem mais de estilos de vida, valores e crenças.

580. Cite exemplos em que as organizações, em vez de patrocinadoras de conteúdos ou eventos culturais, assumem o papel de protagonistas culturais. Comente essa transformação, do ponto de vista social e organizacional (estratégico).

581. Em que medida a marca pode ser considerada uma entidade discursiva e, portanto, um fenômeno comunicativo?

582. Podemos dizer que a identidade de marca é algo formulado pela organização? Por quê?

583. Conceitue imagem organizacional.

584. Diferencie identidade e imagem organizacional.

585. Conceitue reputação.

586. Relacione os conceitos de identidade, imagem e reputação.

587. Podemos dizer que a imagem da marca é algo formulado pela organização? Por quê?

588. Comente um exemplo de ação de *branding* nas mídias sociais, buscando explicitar os objetivos organizacionais.

589. Conceitue cultura e cultura organizacional.

590. Explique a noção de cultura organizacional no âmbito das relações e processos formais e informais de trabalho.

591. Como missão, visão e valores integram o conceito de cultura organizacional?

592. Essas noções precisam estar expressas nas organizações para serem vivenciadas cotidianamente por seus membros?

593. De que forma a visão, a missão e os valores ajudam na determinação dos objetivos estratégicos da organização? Como contribuem para que estes sejam alcançados?

594. Qual é o papel da comunicação no processo de mudança cultural nas organizações?

595. Em sua opinião, qual é a importância da missão e da visão para o negócio da organização? Como é possível tornar essas noções compartilhadas entre os *stakeholders* organizacionais?

596. Dê exemplo de como a marca (ou uma organização) tem utilizado as novas mídias para criar novas formas de relacionamento com seus públicos.

597. O que é marca?

598. O que é logomarca?

599. Relacione marca e logomarca.

600. Quais elementos podem compor a marca?

601. Relacione marca e discurso organizacional.

602. O que é *management* da marca?

603. O que é *management* pela marca?

604. Discuta a evolução da marca com base em três usos estratégicos: marca como identificação (reconhecimento); marca como distinção (valorização), marca como relacionamento (estilo de vida).

605. Discuta a noção de marca como ferramenta para a relação.

606. Articule os conceitos de marca e experiência.

Impressão Sermograf Artes Gráficas e Editora LTDA.
Rua São Sebastião, 199
Petrópolis, RJ

Esta obra foi impressa em offset 75g/m² no miolo, cartão 250g/m² na capa e no formato 16cm x 23cm.

Dezembro de 2013